RODRIGO QUEIROZ

MEDIUNIDADE NA UMBANDA

DESCUBRA OS FUNDAMENTOS DA PRÁTICA E
DESENVOLVIMENTO DO MÉDIUM DE TERREIRO

2022

Título original: *Mediunidade na umbanda*

Copyright © 2022 by Rodrigo Queiroz

5ª edição: Março 2025

Direitos reservados desta edição: Citadel Editorial SA

O conteúdo desta obra é de total responsabilidade do autor e não reflete necessariamente a opinião da editora.

Autor:
Rodrigo Queiroz

Copidesque:
Júlia Pereira

Preparação de texto:
Letícia Teófilo

Revisão:
Amanda Moura

Projeto gráfico:
Andressa Lira

Ilustrações:
Luis Crepaldi

Capa:
Renata Vidal

DADOS INTERNACIONAIS DE CATALOGAÇÃO NA PUBLICAÇÃO (CIP)

```
Queiroz, Rodrigo
    Mediunidade na umbanda : descubra os fundamentos da
prática e desenvolvimento do médium de terreiro / Rodrigo
Queiroz. — Porto Alegre : Citadel, 2022.
    176 p.; il.

ISBN 978-65-5047-118-7

1. Umbanda 2. Mediunidade 3. Religiões africanas - Brasil
I. Título

22-2823                                              CDD 299
```

Angélica Ilacqua - Bibliotecária - CRB-8/7057

Produção editorial e distribuição:

contato@citadel.com.br
www.citadel.com.br

Para a umbanda do futuro
que começa agora em você!

Sumário

Sobre este livro 7

1. Introdução 9

2. Umbanda *vs.* espiritismo 21

3. Sexto sentido sensorial 33

4. *Chakras* 45

5. "Médiuns de mesa" e médiuns de terreiro 61

6. Tipos de faculdades mediúnicas 71

7. Incorporação – A mediunidade de terreiro 81

8. Particularidades da mediunidade
   de terreiro 93

9. Desenvolvimento mediúnico 101

10. Desenvolvimento mediúnico II 115

11. Preceitos mediúnicos 125

12. Magia e a mediunidade de terreiro 139

13. As linhas de trabalho na mediunidade
    de terreiro 147

14. Animismo e mistificação 153

15. Benefícios do exercício mediúnico 161

Meu desenvolvimento mediúnico 167

Referências 175

Sobre este livro

ORIENTAÇÕES PARA A LEITURA – NÃO AVANCE SEM LER ISTO

PENSO QUE...

Eu sei uma coisa sobre você e que estão nestas suposições:

- Você não está contente com o que sabe sobre mediunidade no ambiente de terreiro até hoje, sendo experiente ou não, e por isso este título te chamou a atenção;
- Você descobriu que é médium em um terreiro ou por alguém da umbanda e não sabe por onde começar a entender esse assunto ou para quem perguntar, ou mesmo o que significa ser médium;
- Você quer informações numa fonte segura, com validações práticas, sem a costumeira "viagem imaginativa", com possíveis evidências científicas e, acima de tudo, fácil de entender para ser melhor ainda!

Se você se reconheceu em um ou mais pontos anteriores, então você está com o livro certo em mãos.

COMO USAR ESTE LIVRO

Você está diante do primeiro livro multiplataforma da história da religião umbanda e talvez isso seja algo muito novo para você, por isso as orientações adiante são fundamentais para uma boa experiência e completo aproveitamento desta obra.

O ano de publicação da primeira edição deste livro é 2022, estamos saindo de uma pandemia sem precedentes no último século e que mudou completamente nosso modo de interação com conteúdos e estudos. As escolas de todo o mundo, de públicas a privadas, aceleraram o modelo remoto e híbrido. A tecnologia da informação e as mídias sociais entraram em quase totalidade na vida de todas as pessoas com acesso mínimo.

Nós mesmos, na plataforma **Umbanda EAD**, muito embora tenhamos inaugurado essa modalidade de ensino da religião em 2006, tivemos grandes modificações para nos adaptarmos ao avanço no uso dos recursos digitais para o melhor ensino-aprendizagem.

Esta obra vem sendo preparada há três anos, e já era minha intenção que ela pudesse ser exatamente como se tornou, um livro multiplataforma.

E o que isso significa?

Que você terá recursos audiovisuais associados aos conteúdos.

Ao final de cada capítulo tem a seção **SAINDO DO LIVRO**, com um QR Code e um endereço eletrônico que só você que possui este livro poderá acessar.

Ao pausar a leitura e seguir para o link, você acessará vídeos, áudios e outros recursos com conteúdos que expandem e/ou atualizam o tema tratado. E o mais legal é que você pode acessar com frequência, porque sempre terá novidades!

Entendo que podemos usar a superconectividade que vivemos para ajudar positivamente em nossos conhecimentos.

Gratidão por fazer parte deste movimento de ensino-aprendizagem onde cada um de nós somos um, umbanda!

Axé, boa leitura e uma excelente experiência!

Rodrigo Queiroz

1.

Introdução

No momento em que escrevo este livro, vivencio a mediunidade de forma prática e ativa na umbanda desde 1996, ou seja, desde o século passado...

Estudar a mediunidade dentro do olhar próprio desta religião, sem dúvidas, é um caminho necessário e cada vez mais urgente. Só assim poderemos desenvolver um entendimento embasado e apoiado em nossas experiências particulares, que é o que proponho nesta obra.

Acredite, a mediunidade como acontece para a umbanda não será explicada por teorias introjetadas de outros segmentos.

E é por isso que eu lhe convido a "incorporar" mais esta obra ao que consideramos a comunicação com outros planos por meio da espiritualidade.

A DESCOBERTA

Desde que aceitei desenvolver a mediunidade e comecei a vivenciar "coisas estranhas" em meu corpo, ao mesmo passo que experimentava a sensação de ter a mente sobreposta por outra consciência, dedico-me a observar e aprender com tudo o que já foi escrito nesse campo. A minha preocupação sempre esteve em desenvolver um olhar particular para a vivência de terreiro.

Desde 2004, dirijo o ICA – Instituto Cultural Aruanda, desenvolvendo médiuns de corrente e médiuns no ofício sacerdotal. Nessa aventura, acumulei e investiguei muitos temas trazidos por essas pessoas.

A mediunidade no terreiro vem acompanhada de uma série de fatores, como o som dos atabaques, a fumaça das ervas, a chama das velas, os pontos riscados, dentre outras inúmeras características que se aplicam somente à umbanda.

Isso não está presente em nenhum outro segmento, e são esses fatores que também desencadeiam formas de viver a mediunidade genuinamente umbandista.

Ao ver as frustrações, os anseios e conflitos que os médiuns novatos vivenciam – até porque também fui aquele que explodiu de ansiedade, dúvidas e insônia ao ficar pensando nesse novo momento da vida, que acontece de repente –, pude me identificar e desenvolver a mediunidade que aflora ao descobrir-se médium ou, como comumente se fala no ambiente da umbanda, "descobrir-se cavalinho".

Todas essas dúvidas chegam até mim acompanhadas de relatos carregados de frustração e desmotivação. É fato que muitos terreiros ainda não respondem à maioria desses questionamentos, e é nesse momento que muitos médiuns umbandistas pensam em largar tudo.

Aos que se incomodam com a falta de respostas, a sensação de estar sendo feito de fantoche pelo próprio líder espiritual é, no mínimo, angustiante.

Como tudo na vida, quando você busca saber muito sobre algo, pois no caminho há conflitos e incertezas, é muito provável que você se desmotive. Acontece do mesmo modo quando você precisa muito aprender uma disciplina na escola e não tem o professor que te responda à altura: aquela matéria vai se tornando cada vez mais insuportável, simplesmente porque você não consegue se relacionar ou evoluir com ela.

Assim aconteceu comigo. Eu perguntava para os mais velhos, e a resposta era sempre a mesma: "você é muito novo para saber", "um dia você vai compreender", "é um mistério", "você não pode entender".

Todos esses que um dia questionei, e me deram esses vagos retornos, nunca, até hoje, conseguiram responder absolutamente nada. Com o tempo, percebi que aquele que não sabe não vai falar mesmo. Na pior das hipóteses, começará a inventar fantasias, e é disso que a umbanda está cheia.

Aprendi, durante esta caminhada, que você só dá o que tem. Não há como criar algo além do que você pode oferecer. Quem realmente sabe é porque buscou e, um dia, viveu com um olhar de aprendiz, com sede de investigação, e, assim, aprendeu. Esse conhecimento acaba transbordando e chega a um ponto em que se faz necessário transmiti-lo.

Sinto essa necessidade e por isso escrevo esta obra, assim como alimento minha necessidade espiritual quando transmito aquilo que aprendi e que entendo como o caminho ideal.

Quando me dedico a isso, sinto-me realizado como pessoa, médium, sacerdote e religioso. Nesse conhecimento ordenador que faz bem para minha vida, encontro-me fazendo o que posso de melhor, e que não é o mesmo sentimento de quando estou incorporado no exercício da mediunidade e do sacerdócio.

Já abri meu coração a você, leitor. Mas o que quero dizer com isso é que minha realização religiosa maior é quando contribuo com o que sei, falando de minha religião. E é o que estou fazendo exatamente agora, escrevendo e compartilhando com milhares aquilo que me dediquei para desvendar minha crença.

Ao estudar sobre a mediunidade, com o objetivo de trazer este novo olhar, é preciso silenciar, tranquilizar, para entender que, quando me disponho a indagar conceitos, talvez eu incomode você sobre algumas verdades ditas como absolutas. Meu objetivo é desconstruir os paradigmas e trazer uma nova reflexão.

Como diria Sócrates, "É preciso fazer o parto". O conhecimento e a sabedoria vêm por um parto. Há que se ter dor, dureza, dificuldades, para que o novo nasça!

DÚVIDAS E NENHUMA RESPOSTA

Feliz aquele que não viveu isso ao chegar num ambiente de terreiro. Você tem dúvidas e não tem respostas, tem anseios e não tem apoio, e o que permanece é um profundo vácuo.

Aquele brilho que aconteceu quando você chegou no terreiro, conheceu a umbanda, teve sensações físicas pelo corpo e uma entidade te disse "Filho, você é médium" vai se perdendo quando você veste o branco e fica como um astronauta, flutuando. Isso é doloroso.

A decepção aumenta quando, ao tentar se expressar, é boicotado, limitado, castrado. Cada vez mais, criam-se reservas com você e suas necessidades. Nesse momento, crenças começam a se instaurar e, pior, um sentimento de mágoa surge e parece que aquilo está errado para você.

A umbanda é muito nova, tem pouco mais de cem anos, ao contar a partir de Zélio de Moraes. Nesse primeiro século de existência, houve uma grande preocupação de seus precursores, que era a de desenvolver a religião sendo conduzidos unicamente pelos espíritos.

Essa era a "missão": constituir novos templos, desenvolver médiuns, ajudar pessoas... Tudo isso sem se preocupar com um olhar crítico. Sem pensar em criar a sua teologia e desenvolver sua ciência. Assim como acontece na origem de outras religiões.

Mas a umbanda, no que tange ao seu desenvolvimento, pode ser considerada uma religião transgressora. Nos últimos vinte anos, tivemos contato com a literatura do médium sacerdote e mestre Rubens Saraceni. A própria *Doutrina e Teologia de Umbanda Sagrada* é um olhar atual, coerente e profundamente argumentativo sobre a religião.

Mestre Rubens Saraceni, em particular, vem com a missão de trazer uma ciência própria e profunda, explicando coisas que pareciam impossíveis de se pensar a partir da umbanda.

Hoje, mais do que nunca, sentimos a necessidade de pontuar as características próprias desta religião. A partir da literatura de Saraceni e de sua ótica sobre todas as coisas, podemos conhecer o que existe, bem como a abordagem peculiar sobre particularidades da religião.

Graças ao Pai Rubens Saraceni, nós temos uma base quando falamos sobre o aspecto macro da religião. Este é o momento de voltarmos a lupa para cada uma das ramificações a que a teologia nos leva, e consolidar o entendimento do macro ao micro, com tudo se encaixando.

TUDO O QUE PRECISO SABER APRENDO NO TERREIRO?

Leitor, entenda que, ao falar desse assunto, não me coloco na posição daquele que questiona meus antecessores e os mais antigos na religião, ou todos aqueles inseridos em uma cultura e em um padrão nos quais se prega que o que devemos aprender está dentro do terreiro e nas conversas com as entidades.

Mas o que busco esclarecer e acho importante frisar é que as entidades não vêm ao trabalho espiritual para falar de ciência da religião. Isso não quer dizer que elas não possam fazê-lo, caso sejam questionadas sobre isso.

Se você questiona um Caboclo sobre o fundamento de um ritual, por exemplo, ele vai falar. Mas não é o seu objetivo. O objetivo da espiritualidade é trazer outro tipo de conhecimento.

Os guias estão constantemente nos ensinando a olhar para nosso interior, nos incentivam ao desenvolvimento humano, espiritual e consciencial. Não cabe ao Caboclo vir a este plano para palestrar sobre a teologia, a ciência da magia ou fundamentar questões mais técnicas.

É por isso, inclusive, que alguns médiuns desenvolvem um trabalho mediúnico paralelo, ou seja, trabalham no terreiro incorporando as entidades, mas também se dedicam, em outros momentos, a canalizar, através da psicografia ou outros meios, estudos e mensagens específicas dos espíritos. Esses são trabalhos focados na instrução do médium e da comunidade.

Não quero dizer, por exemplo, que, após trinta anos dentro do terreiro, uma pessoa que aprendeu sobre a combinação de determinadas ervas e a obtenção de um tipo de energia esteja errada. Não é isso que quero apontar. Essa experiência é legítima e tem todo o seu valor.

No entanto, o que explico é que devemos ser honestos em reconhecer que, no dia a dia ou no pé do Preto Velho, não vamos escutar explicações sobre coisas como projeção astral e desenvolvimento eletromagnético do campo energético para desenvolvimento do espírito.

Não é que ele não saiba ou não possa falar sobre isso, mas não é o seu objetivo. Entende?

Escrevo sobre isso para que todos compreendam o que penso sobre a importância de criar um ambiente específico, um momento adequado para o estudo da religião, que não se encaixa no objetivo da consulta espiritual.

Outra questão é o padrão da obediência. Cuidado. Respeito é uma coisa, e algo totalmente oposto é a obediência que não permite perguntar sobre nada sem que isso seja considerado desrespeito, insulto ou displicência, a ponto de sofrer uma revelia.

Absurdos como esses acontecem nos terreiros e normalmente tais manipulações partem daqueles que não aprenderam nada até hoje e também não se propuseram a aprender. É natural que essas pessoas não saibam responder e, por isso, toquem o trabalho em silêncio.

Esse médium mais velho ou sacerdote que não tem respostas obviamente sabe incorporar e conduzir a gira, sabe fazer uma firmeza para cura, prosperidade, tem sua intuição e também reproduz o que um dia viu. Repetidamente observou as entidades firmarem e, acompanhando tudo, foi amadurecendo e se sentindo mais tranquilo até, por fim, aprender a prática.

Mas ele não sabe explicar efetivamente por que se acende a vela, não entende a dinâmica do fogo em seu corpo espiritual. Não conhece a conexão estabelecida pelo cordão ígneo projetado pela vela com outras realidades e planos espirituais. Esse umbandista sabe fazer, e por isso acontece e tem efeito. Mas, de repente, ele não consegue explicar a técnica envolvida naquele rito. Isso não o torna menor ou menos eficaz. Definitivamente não se trata disso, mas dá para perceber por que muitas pessoas se encontram sem respostas.

O mais novo vai perguntar: "Paizinho, por que você está fazendo isso agora?", e a resposta será: "É para abrir os caminhos com Ogum".

E a dúvida permanecerá até que retorne em uma nova tentativa: "Por que usou a vela assim? O que a vela faz? Qual o sentido para usá-la?" e, então, a resposta será: "É para clarear os caminhos". Ao tentar entender, pela última vez, o que significa, no plano espiritual, essa ativação mágica, o mais novo questionará: "Mas por que usou esse elemento?". E a resposta, na maioria das vezes, vai se esgotar: "Ah, isso é com o santo, meu filho". E assim ficará *respondido*.

Não dá para exigir que quem permaneceu a vida inteira inserido nesse padrão tenha um discurso mais profundo sobre essas particularidades.

Mas esse tempo ou geração acabaram. Há aqueles que se mantêm nesse período, presos no ostracismo, no entanto, esse argumento já não convence. Desde 2006, a Umbanda EAD desenvolve o estudo da religião pela internet, derrubando fronteiras do conhecimento. Há mais de duas décadas tivemos o contato com a rica literatura de Rubens Saraceni e há mais de quarenta anos existem os cursos dentro da umbanda, mesmo que de forma restrita, em um ou em outro lugar.

O novo tempo para a umbanda chegou, e estou em busca do acerto. Pode ser que não se consolide tão cedo um novo padrão, através do qual a maioria dos adeptos sejam pessoas conscientes, estudadas e aculturadas sobre sua religião.

Mas o fato é que não faz sentido o umbandista chegar a qualquer ambiente e, ao ser questionado sobre a sua religião, responder segundo Allan Kardec, o papa ou baseado nos mitos. Não importa se você sabe muito sobre cultura hindu, espiritismo e demais religiões, isso é cultura pessoal. Ela é muito importante, contudo, não explica a umbanda.

Os tempos são outros, e o umbandista que não tem uma base e uma resposta consistentes acredita que a definição da religião é, por si, uma colcha de retalhos.

Não estudar não é o certo, mas ainda é uma realidade para aqueles que permanecem presos em suas verdades.

A umbanda, em particular, vive algo como uma "paralisia no conhecimento". Apoia-se em outras literaturas e experiências que não são a dela. Por muitos anos, não houve uma legitimidade teológica, até que Pai Rubens Saraceni a inaugurou.

Se, por um lado, nossos antecessores não se preocuparam em fundamentar um discurso original, que fizesse sentido a sua própria crença, por outro, eles desempenharam um importante papel no desenvolvimento e crescimento da religião. Este era o objetivo, e foi cumprido.

MEDIUNIDADE NA UMBANDA

A umbanda, nos moldes mais comuns da sua ritualística, é anunciada com a incorporação de um espírito no médium que dá a boa-nova desta religião. Portanto, surge como um fenômeno mediúnico e, por sua vez, tem na sua raiz a prática propriamente dita. Diferentemente do espiritismo, que é criado a partir de estudos, investigações científicas e descobertas de Allan Kardec.

Kardec, doutor em metodologia, é o responsável por organizar e divulgar a base do movimento – ou doutrina, como ele mesmo preferiu denominar – a que ele deu início: o espiritismo. Com essa origem, o exercício da mediunidade no contexto do movimento espírita só acontece depois do estudo.

A umbanda não demanda "pré-requisitos". Ninguém precisa estudá-la para desenvolver a mediunidade. Eu mesmo não a estudei para desenvolvê-la. Mas o que pode parecer contraditório, na verdade, é o meu maior ímpeto para escrever esta obra, porque sei a dor que é desenvolver essa capacidade no escuro, sem saber nada sobre o que está acontecendo.

Me vi muitas vezes em situações em que não sabia tecer um julgamento, afinal, quando você está no escuro, qualquer metal que reluz é ouro. Não existe um crivo para entender aquilo que está certo ou errado.

Vou dar um exemplo simplório, mas que diz muito sobre essa fragilidade no processo de desenvolvimento. Se alguém te diz: "Olha, pule de cabeça naquele rio que seu chakra coronal vai abrir". É possível que você o faça. E por quê? Porque aquela é a verdade posta no momento. A única coisa que se entende é que, se você pular no rio de dez metros de altura, estará se desenvolvendo. Aplique esse exemplo em contextos reais, nos quais pessoas são coagidas e ludibriadas por mal-intencionados, e entenderá o que quero dizer.

Qualquer informação, quando não há argumentos e não há entendimento do que é certo e errado, vira verdade. Desenvolver a mediunidade é algo muito comum na umbanda, mas estudá-la é imprescindível.

O básico sobre mediunidade é possível entender por meio da literatura espírita, mas então você passa a ter contato com outros conhecimentos, outros autores, e entende a mediunidade de forma global. Começa a se questionar sobre uma infinidade de particularidades do ambiente de terreiro. Nesse momento, é preciso ter um bom caminho, além de segurança para não se desviar e acabar sofrendo desnecessariamente. É preciso coragem e uma certa rebeldia ao confrontar-se com o novo e com o velho.

Vivemos aqui e agora um choque de gerações.

NOVO TEMPO

É um novo momento de consolidação da religião, em que muitos grupos criam trabalhos incríveis para o público umbandista. Existem podcasts, portais de comunicação, canais no YouTube, e a literatura cresce exponencialmente. Felizmente, vemos uma galera fazendo coisas boas a passos galopantes.

Nós devemos apoiar o que é bom, bonito, palpável, tem fundamento, tem coerência, é honesto e tem amor. Devemos dar as mãos juntos por um objetivo maior.

As pessoas estão saindo do ostracismo para viver uma nova realidade dentro da religião. Muitos me perguntam: "Rodrigo, você não tem medo de ferir a tradição?".

Alguns julgam que o meu posicionamento pretende afastar o indivíduo do terreiro. Mas não há espaço para a dúvida em mim.

Estudar te aproxima ainda mais do ambiente sagrado. Te aproxima do seu Sacerdote, da sua Espiritualidade e, assim, de Olorum. É o que te dá firmeza, consciência e segurança para que chegue mais perto de entender Deus na sua crença.

Não conheço ninguém que tenha se debruçado ao conhecimento da umbanda e tenha tido problemas com isso.

O que pode acontecer é a pessoa perceber que se encontrava em uma situação específica na qual todas as suas dúvidas eram castradas, e, a partir daí, descobrir que, na verdade, pode aprender de tudo, e então decidir tomar um novo rumo.

Quando o que você vive é uma realidade ditatorial e descobre que seu vizinho pode te garantir a liberdade, você decide ser livre, um participante e não mais uma marionete.

Então eu pergunto: o que de fato é tradição?

Ao abordar o conceito de tradição, é preciso compreendê-lo em sua percepção teológica-religiosa e, também, ter o conhecimento sobre sua definição nos campos da sociologia e da antropologia. Após munir-se dessas compreensões, é possível observar como a tradição acontece na prática e no que realmente tem validade para nós.

Nas famílias e nas colônias tradicionais, por exemplo, entre os japoneses, há uma preocupação no íntimo de suas relações em manter as tradições herdadas pelos que vieram anteriormente. Nós vemos isso nos hábitos ou na repetição daquilo que o avô e o bisavô já faziam a respeito de questões particulares da família. Também pode-se observar esse aspecto no trato com o outro e até mesmo nas crenças religiosas.

Do mesmo modo, se olharmos para o Cristianismo, veremos incontáveis tradições. Por tradição religiosa, nesse segmento, quase se entende cada vertente, cada maneira de interpretar o Cristo ou cada uma das formas de se conceber a liturgia. A todas essas novas interpretações, criam-se vertentes religiosas, que não deixam de estar inseridas em uma única crença. Por isso, uma mesma religião pode ter várias tradições religiosas.

Confunde-se, portanto, tradição com hábitos, ou mera repetição de conceitos e procedimentos sem crítica lógica.

Entendo que a tradição do *Homo sapiens sapiens* é o pensamento, o uso da razão e seu constante aperfeiçoamento, portanto, se temos a oportunidade de passar a limpo a nossa religião, que o façamos constantemente, e honremos a tradição da espécie a qual pertencemos.

A seguir, segue a lista de considerações com origem em outras denominações religiosas sobre a umbanda e que não me representam:

- Orixá não pode manifestar no terreiro de umbanda.
- Orixá pode ficar bravo.
- Tanto faz ingerir bebida alcóolica antes do trabalho mediúnico.
- Riscar ponto e acender vela é misticismo.
- Todas as opiniões que se ditam no contexto da umbanda definitivamente não me representam.

Sabe por quê? Porque a minha preocupação é com o que é nosso. O que é próprio da umbanda quando dizemos sobre mediunidade. Quais as particularidades da mediunidade quando vivenciada nesta religião? Por que existem indivíduos que nascem com a mediunidade inclinada para a mediunidade de terreiro? O que é, de fato, essa mediunidade? Como se pratica? É possível obtê-la? Por que existem tantas particularidades na mediunidade de terreiro? Todos somos médiuns? Como entender a presença real do guia?

Aqui fica o meu convite a você, a se transportar para o universo da mediunidade na umbanda. Porque quem explica a mediunidade no terreiro é o umbandista.

SAINDO DO LIVRO...

Convido você a apontar seu celular para o QR CODE ou digitar o link no seu navegador e assistir a um vídeo meu complementar a este capítulo.

https://mediumdeterreiro.com.br/livro/capitulo-1

2.

Umbanda vs. espiritismo

Assim como acontece neste plano físico, no plano astral os conhecimentos também mudam de tempos em tempos.

A ciência da mediunidade, iniciada em Allan Kardec, foi alicerçada nos fenômenos mediúnicos que ocorriam na Europa em meados de 1800. Trata-se de um período em que o Iluminismo, movimento intelectual e filosófico, vivia seu apogeu. Por esse motivo, o mote principal desses cientistas era a necessidade de comprovar que a ciência era superior à religião.

Por isso, foi com a Revolução Francesa e com o Iluminismo que se iniciou um novo olhar para a vida. Esses movimentos romperam com a mística religiosa para inaugurar um olhar pragmático e palpável da realidade.

Allan Kardec era um desses estudiosos. Um homem da ciência, vivendo na França no século 19. Nesse turbilhão de mudanças, ele deparou-se com um fato, e como é natural na ciência, ele se dedicou a desvendar fatos. Os mitos, lendas e superstições em nada lhe atraíam.

A ciência se prova como ciência quando, ao deparar-se com um fato, cria uma metodologia para confirmá-lo. Embora Kardec não tenha conseguido provar cientificamente, em seu tempo, a mediunidade, ele não podia negar tudo o que via acontecer com os próprios olhos.

Observe que, naquele momento, os fenômenos mediúnicos eram verdadeiros espetáculos, e realmente podia-se ver objetos levitarem, materializações, e as mais curiosas e variadas capacidade mediúnicas.

Kardec, ao investigar todas essas ocorrências, não pretendia criar uma religião. Lutou toda a vida para dizer que o espiritismo era uma ciência, uma filosofia. Mas, embora a particularidade mentalista dessa religião seja muito forte, não há como negar o aspecto religioso ligado a ela. O espiritismo é um caminho de *religare* ao Divino, o despertar da sacralidade.

Dentro do olhar da ciência para as religiões, toda ação que pretenda colocar o indivíduo em contato com o Sagrado em Deus, ou com uma força superior, já pode ser considerada religiosa.

A própria etimologia da palavra *religião* vem do latim *religare*, que, traduzindo, significa o religar dos indivíduos à sua essência divina.

Por mais que os ortodoxos ou mesmo Allan Kardec quisessem negar essa característica do espiritismo, alegando a ausência de ritualística ou sacramentos – que realmente são atributos importantes para o conceito de diversas religiões –, não há como, já que a proposta tida entre os espíritas o transformou em uma crença. Calcada na ciência, mas vivida com religiosidade.

Com isso, é possível refletir sobre a afirmativa que traz o título de Kardec *O Livro dos Médiuns*. Concluir que todo médium deve ler essa biografia para saber sobre sua mediunidade e crer que nele estará tudo o que se precisa aprender é praticamente tomá-lo como uma bíblia. Uma verdade fechada. Não quero tirar a importância dele, visto que é uma obra incrível e é minha recomendação para que você, umbandista, o leia, para saber ao menos do que trata esta obra. Mas você precisa ler *O Livro dos Médiuns* sabendo que ele foi escrito por Allan Kardec, um cientista francês do século 19, e que aquela era uma realidade totalmente diferente da umbanda hoje.

O objetivo de Kardec era confrontar mesmo a religião católica, trazer a sobrenaturalidade e a mediunidade para o meio acadêmico. Por isso também os fenômenos mediúnicos dessas reuniões eram verdadeiros espetáculos, nos quais, de início, só convidados podiam assistir e, mais tarde, pagava-se ingresso a fim de poder participar. Nesses locais, era possível ver coisas incríveis, como em show de mágica.

O trabalho do cientista contagiava toda a população e acabou causando uma comoção internacional. Foi então que Kardec passou a ser perseguido. A ditadura religiosa da Igreja não aceitava tal "heresia", e interesses políticos resultaram na sua obra queimada em praça pública.

Mas o que quero reafirmar com o contexto de Kardec é que o médium e a mediunidade não têm religião. O médium é um indivíduo que está em qualquer lugar. Allan Kardec afirma que todo mundo é médium, já que o simples ato de intuir já se consolida como um fenômeno mediúnico.

Talvez não possamos criar uma sistematização dos níveis de intuição. Mas todo mundo, em maior ou menor grau, intui, e isso é mediunidade. Com base nesse conhecimento – em que é entendido que todo mundo tem ao menos o nível mínimo de mediunidade –, denomino esse primeiro grau como mediunidade passiva; no entanto, há aqueles que nascem com uma mediunidade prática. Estes, em algum momento, a colocarão em exercício.

O espírito desses indivíduos encarnados terá a necessidade do exercício mediúnico, para que se mantenha o equilíbrio do padrão vibratório e energético de seus próprios organismos espirituais. É um processo de florescimento que invariavelmente ocorrerá.

Haverá aqueles que não apresentam indicativos da mediunidade, e, por vezes, a desenvolvem sem nenhum "maior ímpeto". Mas existirão também os que serão acometidos por doença, desequilíbrio, descompensação, e algo em seu corpo espiritual, mental ou material alertará sobre a necessidade de um reequilíbrio.

Ao desenvolver a mediunidade, para que ela seja direcionada da melhor forma, o indivíduo se resolve, conhece a si mesmo e encontra, a partir desse fato, um caminho espiritual para a sua vida.

O próprio Zélio Fernandino de Moraes, médium que anunciou a religião da umbanda, foi um jovem de dezessete anos, de família católica, preparando-se para ingressar na carreira militar, quando foi acometido por uma paralisia em suas pernas.

Ninguém resolvia seu caso. Ninguém diagnosticava sua doença. Depois de muito tempo acamado, um dia ele acordou e se levantou. Seguiu até um centro espírita para entender fatos estranhos que ocorriam consigo, incorporou e a entidade disse: "Eu vim fundar uma nova religião, onde pretos e índios possam trabalhar".

O que quero dizer com isso é que a mediunidade prática floresce nos indivíduos em algum momento da vida, não importa a data ou a idade. Em algum momento, ela eclode de dentro para fora.

CONCEITO DE MEDIUNIDADE PRÁTICA *VS.* UNIVERSAL

Enfatizei a obra de Kardec pois o que desejo explicar é que a mediunidade prática difere da mediunidade num contexto universal em que todos somos médiuns, que o autor coloca.

Meu estudo foca os indivíduos que nascem com a mediunidade para praticar e exercitar. Pretendo colocar uma lupa sobre o nosso olhar do exercício mediúnico e encontrar, nesse universo, o mundo da umbanda.

Allan Kardec foi o primeiro a usar o termo médium, dizendo que todo aquele que se relaciona com realidades sobrenaturais pode ser assim classificado. A própria palavra significa *meio*, sendo que médium seria aquele que está entre duas realidades, a física e a espiritual. É ele o intercâmbio entre uma consciência visível e invisível, o etérico e o físico. Ele "dá voz" a esse campo invisível e espiritual do nosso ser e consegue interpretá-lo.

Quem fundamentou essa ideia pela primeira vez foi Allan Kardec. Ele mesmo catalogou mais de 140 tipos de capacidades mediúnicas. Portanto, em resumo, a ideia de mediunidade é a capacidade de interagir com frequências energéticas e vibratórias desconhecidas neste plano.

A partir do momento que Kardec sistematiza e explora as mediunidades vistas e vividas no seu tempo, outros autores vão surgir. Cada um deles trará a sua leitura particular sobre o assunto.

Você, que é umbandista e me lê: quero que entenda que não há imparcialidade. Não dá para você falar da mediunidade na umbanda sendo um médium espírita. Sinceramente, acho muito estranho quando me deparo com isso. Muitos autores famosos falam muito de umbanda, sem serem umbandistas. Acho isso, no mínimo, muito suspeito.

Até porque não é possível que eu, sacerdote de umbanda, queira explicar a mediunidade no espiritismo aos espíritas, visto que eles já têm seu material, mas também porque não vivo essa realidade.

Se eu tentasse encaixar a minha realidade no *Livro dos Espíritos*, esquecendo-me de que ele foi escrito para um segmento específico, em um tempo distante do nosso, estaria fadado ao conflito. No momento em que Kardec diz que os espíritos não precisam de nenhum material para se comunicar, sendo que no terreiro o Caboclo usa giz, charuto, erva e água, começo a entrar em conflito com a minha crença.

Isso aconteceu comigo, quando, ao me desenvolver como médium, comecei a fazer perguntas e ninguém me explicava. Por que isso aconteceu? Porque eu era jovem e imaturo intelectualmente sobre a minha religião.

Assim que comecei a me desenvolver e a questionar, ninguém sabia responder. O que eu fiz? Fui a uma livraria da Federação Espírita aqui da cidade, comprei a obra de Allan Kardec e comecei a ler.

Foi então que pirei, fiquei muito preocupado. Pensei que estava dando vazão a espíritos viciados, inferiores e negativos.

Por não ter nenhuma instrução ou referência, absorvia como verdade tudo o que eu lia, até porque Allan Kardec era a maior referência nesse assunto. Não conseguia discernir as propostas e quase desisti da umbanda.

Hoje sei que, para o espírito vir à terra, comunicar-se, trazer uma instrução ou um fundamento, inspirar pessoas, ele não precisa de nada. Basta incorporar, sentar-se e conversar. Esse basicamente é o ritmo que se segue na mediunidade dentro do contexto espírita. De forma geral, esses espíritos estão focados em inspirar o homem a uma reforma íntima.

No século 19, o objetivo era provocar o despertar na humanidade. Provar para a humanidade encarnada que há uma continuidade, que há vida após a vida e que temos muito o que pensar sobre isso.

Tudo o que fazemos em terra vai reverberar no pós-morte e, tratando-se do desvio comportamental e moral, a consequência vem além-túmulo. Essa era a provocação trazida pelos espíritos naquela época. Tudo isso foi se aperfeiçoando, moldando-se, mas até hoje o objetivo principal dos espíritos que se comunicam através do viés espírita é a instrução do homem em relação à vida eterna.

Claramente para isso não há necessidade de nenhum objeto ou, como falamos na umbanda, elemento magístico. E por que na umbanda há essa necessidade? Numa gira de umbanda, o espírito não está presente apenas para aconselhar. Ele está lá para resolver questões energéticas daquele indivíduo. Se alguém que foi vítima de magia negativa chega ao centro espírita, é comum que seja aconselhado a "ir resolver" na umbanda e depois retornar.

Esse é o fato: com obsessor sofredor você conversa; mas com espírito convicto do mal, que tem de prejudicar alguém para ter poder, de nada adianta falar de Jesus. Você não vai dizer: "Meu irmão, você precisa se libertar desse ódio, porque Jesus te ama".

Ele vai rir, porque tem um contrato, uma missão, é um prestador de serviço. Não está perdido. Ele é dos que chamamos de "criminosos do além". Ninguém chega a um criminoso com uma conversa doce, é preciso que inicialmente ele seja desarmado, preso, enfraquecido. Com tempo, e purgação de seus atos pode ou não despertar para uma nova consciência.

Mas até esse ponto, é preciso interceder, parar aquela ação ruim. A umbanda desempenha justamente esse papel do combate na prática. Isso não quer dizer que uma religião é melhor do que a outra, mas que há particularidades. A polícia de trânsito é tão importante quanto a de confronto. O primeiro não tem necessidade de atirar, ao passo que o segundo não tem tempo para fazer uma advertência. Os dois são igualmente importantes para a ordem social.

É isso que precisamos entender em relação à umbanda e ao espiritismo: reconhecer o valor do outro, respeitar sua importância para ser respeitado. O entendimento sobre o próximo é o que traz serenidade de não menosprezar ou ser indiferente àquela essência que não é a sua, mas é complementar.

O potencial magístico é um dos grandes diferenciais entre essas duas escolas, e não conheço nenhuma religião em que esse ofício seja tão explícito. O foco no combate a ações estratégicas das trevas de forma tão organizada, como é na umbanda, é algo incrível.

Por isso não precisamos mais achar que Exu é viciado, Caboclo é inferior, que o Preto Velho precisa justificar seu cachimbo. Esses usos fazem parte do trabalho específico que desempenham na magia.

Kardec afirma:

Um Espírito pode dizer: "Traçai tal sinal e, à vista dele, reconhecerei que me chamais, e virei"; nesse caso, todavia, o sinal traçado é apenas a expressão do pensamento; é uma evocação traduzida de modo material. Ora, os Espíritos, seja qual for a sua natureza, não necessitam de semelhantes artifícios para se comunicarem; os Espíritos superiores jamais os empregam; os inferiores podem fazê-lo visando fascinar a imaginação das pessoas crédulas que querem manter sob dependência. Regra geral: para os Espíritos superiores a forma nada é; o pensamento é tudo. Todo Espírito que liga mais importância à forma do que ao fundo, é inferior e não merece nenhuma confiança, mesmo quando, vez por outra, diga algumas coisas boas, porquanto essas boas coisas frequentemente são um meio de sedução.

Tal era, de maneira geral, o nosso pensamento a respeito dos talismãs, como meio de entrar em relação com os Espíritos. Evidentemente que se aplica também àqueles que a superstição emprega como preservativos de moléstias ou acidentes.*

Ao dizer isso, o autor não está, de fato, considerando a umbanda, e nem é de se esperar. Como ele poderia falar de algo que não existia?

É esse tipo de crivo que preciso ter quando estou lendo. A leitura é sempre eficaz, quando há interpretação e adaptação ao contexto atual vivido. Desse modo, é pouco provável que *O Livro dos Médiuns* consiga traduzir as necessidades do médium incorporante no ambiente de terreiro.

---

*   KARDEC, Allan. *O Livro dos Médiuns*. Brasília: FEB, 2013.

Em resumo, o que destaco aqui é que a obra de Allan Kardec é extraordinária, mas universal. É preciso separar o que na umbanda podemos interpretar por meio de uma leitura universal dos fatos e o que são suas especificidades. Qualquer teoria precisa ser vista com um olhar investigativo, toda verdade absoluta sobre um fato é um caminho perigoso.

Como veremos a seguir, muitos literatos surgiram após Kardec e vieram deixar suas marcas em campos de atuação específicos.

ESCRITORES E TEORIAS SOBRE MEDIUNIDADE ESPÍRITA

Ramatís e Hercílio Maes

Ao chegar na década de 1950, já tínhamos bem divulgado Chico Xavier com o espiritismo cristão, no entanto, também vimos um novo olhar mediúnico espiritualista que se intitula como universalista, que é o de Hercílio Maes. Esse autor é também um médium que manifesta Ramatís, entidade espiritual muito popular cujos conhecimentos são supostamente transmitidos a alguns escritores até hoje.

Ramatís, na obra *Mediunismo*, traz uma "releitura" d'*O Livro dos Médiuns* de Allan Kardec. Nesse novo olhar, composto de reservas, destaca alguns pontos do que já foi colocado na obra de Allan Kardec e traz uma narrativa bem interessante.

O movimento ramatiano tem um grande grupo de seguidores que compõem um segmento próprio. Não é umbanda, não é espiritismo, mas tem projeção internacional e é algo bem forte e consolidado entre os seus.

Trata-se de uma leitura interessante, que vale a pena ser apreciada considerando todas as ressalvas que já pontuei aqui. Há uma passagem que particularmente gosto muito: "*Se quando um sedento pede água, há algum mérito em oferecer taça vazia? Para que a pressa em desenvolver a mediunidade se não há nada a oferecer?*".

Nesse ponto da obra, Ramatís quer salientar a importância do estudo, da criação de uma bagagem existencial, consciencial e teórica, para que mais tarde você exerça a mediunidade propriamente dita.

Nada adianta um médium sem nenhuma contribuição. Haverá aqueles que dizem: "Eu não tenho que saber, porque é meu guia que tem que falar". Mas nesse argumento há muitas armadilhas. Principalmente porque, hoje em dia, a mediunidade mudou, estamos em outro momento, e o padrão dessa capacidade também é outro.

Não existem mais médiuns inconscientes, plenamente mecânicos e que não exercem nenhuma influência na comunicação mediúnica. Isso é muito raro. Se não temos mais isso, o que temos? É a mediunidade passiva, onde há uma parceria. O médium agora está presente, ativo, e pode influenciar se quiser.

Mesmo quando não há essa intenção, também se exerce influência, e se a base não está consolidada, é muito provável que junto venham as fantasias. É assim que a religião começa a se tornar caótica no que tange ao seu entendimento da prática.

Por isso, quando trago Ramatís para nossas reflexões é porque ele está um século à frente de Allan Kardec e em um novo momento histórico. Sendo assim, o comparativo de argumentos dessas duas obras enriquece, em muito, o estudo sobre a mediunidade.

É fato que muitos umbandistas também leem Ramatís intencionando trazê-lo para a umbanda, o que também é um equívoco, pois essa entidade não trata da umbanda. Ramatís traz o médium como aquele que pode estar em sintonia com assuntos da umbanda, do espiritismo e de tantas outras mentes. É uma forma mais plural de se entender a mediunidade.

Em *Magia da Redenção*, Ramatís aborda assuntos que Allan Kardec não trataria nem que tivesse tomado nota da veracidade de seu uso. Como um cientista iria falar sobre magia no século 19?

Por isso, Hercílio Maes está em outro período, no qual questões sobre a mediunidade dentro do campo místico em geral são amplamente comentadas em sua obra.

No livro *Magia da Redenção*, temos contato com os conceitos sobre benzimento, mau-olhado, feitiços, dentre outras magias populares. O olhar sobre a magia em geral – como funciona sua dinâmica e, ainda, quais os seus desdobramentos nos indivíduos e no plano espiritual – é alvo do seu estudo.

MEDIUNIDADE NA UMBANDA

Ramatís fundamenta a veracidade da magia e explica o que Kardec trata como o poder da mente. Mas, se temos mentes beneficamente poderosas e mentes nefastamente poderosas, é sobre isso também que Ramatís trata e observa, pontuando que *"há realmente muito mais coisa entre o céu e a terra do que possa crer as teorias até então".*

Ramatís e Kardec oferecem dois olhares sobre a mediunidade de uma forma universal, cada qual na sua compreensão, mas nenhum deles aborda o espectro umbandista do assunto. Só nas décadas de 1980 e 1990 que começaríamos a conhecer algumas obras de autores umbandistas propriamente ditos.

O que é importante enfatizar é que nossos antecessores deixaram importantes contribuições. O que Allan Kardec explica sobre mediunidade não vai mudar, porque é verdade tudo o que foi posto. Mas o que quero validar são as particularidades que foram deixadas de lado ao longo do processo histórico e que hoje precisam ser explicadas na umbanda.

Em 1978, destaco J. Herculano Pires, que foi o principal tradutor da obra de Allan Kardec no Brasil. Ele também escreveu outros livros, e se destaca como um dos grandes militantes do espiritismo. Há um livro dele cujo título é *Mediunidade de vida e comunicação – conceituação da mediunidade e análise geral dos seus problemas atuais.* Vou realçar um trecho a você, leitor:

Este livro não é e nem pretende ser considerado como um tratado de mediunidade, longe disso. É uma exposição dos problemas mediúnicos por alguém que os viveu e vive, orientando-se nos seus meandros a bússola de Kardec. A única realmente válida e aprovada pelo espírito da verdade que simboliza sabedoria espiritual junto à sabedoria humana...

Olha que perigoso isso! E continua...

O espiritismo é a doutrina que abrange todo o conhecimento humano, acrescentando-lhe as dimensões espirituais que lhe faltam para a visualização da realidade total. O MUNDO é o seu objeto, a razão é o seu método e a mediunidade é o seu laboratório.

Bonito isso, sério, muito bonito, mas pretensioso. Para quem não pretendia trazer um "tratado de mediunidade", Herculano Pires finca suas palavras em uma verdade que é absoluta.

Esse também era um autor espírita e naturalmente ele pensaria assim, mas grifo porque este é outro caso de uma literatura interessante, mas que precisa ser lida com um crivo por nós, umbandistas, com a perspectiva do nosso lugar.

Quando pegamos um livro, precisamos ter uma postura antes, pois, senão, somos envolvidos, às vezes por falácias, ou também por aquilo que não é pertinente a nós, mas que tem a sua verdade e uma pertinência em paralelo.

Allan Kardec abre as portas da espiritualidade consistente, do caminho espiritual e mediúnico no mundo, e isso é inigualável e inquestionável.

Chico Xavier

No Brasil, temos um outro grande expoente, citado anteriormente, que é Chico Xavier.

Chico é incomparável no uso da mediunidade como a transmissão de pensamento dos espíritos. Ele desenvolvia isso de uma forma sacerdotal e devotada.

É incrível que um homem tenha conseguido escrever mais de quatrocentos livros. Para se ter uma noção, um bom autor escreve, no máximo, quatro livros ao ano. Se tiver quarenta anos de produtividade, estaremos falando de cento e sessenta livros.

Ao pensar na produção de centenas de livros como a de Chico Xavier, só conseguimos explicar vendo isso, de fato, como um fenômeno. Há informações de que ele escrevia dois livros ao mesmo tempo. Quando digo ao mesmo tempo, me refiro, realmente, à escrita de um em cada mão, porque eram espíritos diferentes, com temas diferentes, presentes no mesmo instante.

Mais adiante também comento sobre os tipos de mediunidade, e então explico sobre essa característica de Chico Xavier e como isso se processava.

Na umbanda, o que é notável é a produtividade literária de Rubens Saraceni. Pai Rubens Saraceni escreveu, nas décadas de 1980, 1990 e 2000, mais de cinquenta livros. São números incríveis e isso também se explica por meio da mediunidade.

Os espíritos psicografados por Chico Xavier, Emmanuel e André Luiz trazem para o espiritismo no Brasil uma característica mais religiosa. São eles que dão uma nova feição ao movimento, caracterizando a mediunidade como um dispositivo a serviço de Jesus e do Evangelho. Uma caridade, um ato de devoção. É o que denominamos como espiritismo cristão.

Concluímos, neste momento, que as abordagens anteriores aos autores Umbandistas eram as provenientes do espiritismo e de suas variações, logo, não teriam condições de aludir a uma característica tão específica quanto o mediunismo de umbanda.

Até o momento em que escrevo este livro, o único título impresso para falar especificamente sobre a mediunidade no universo da umbanda é a obra *Médium – Incorporação não é possessão*, de meu irmão Alexandre Cumino, pela editora Madras.

SAINDO DO LIVRO...

Convido você a apontar seu celular para o QR CODE ou digitar o link no seu navegador e assistir a um vídeo meu complementar a este capítulo.

https://mediumdeterreiro.com.br/livro/capitulo-2

3.

Sexto sentido sensorial

ESTRUTURA COMPLEXA DO MÉDIUM

O médium, como já citei anteriormente, é o indivíduo que tem capacidade de intermediação com outras realidades e vibrações diferentes da realidade vivida por nós neste plano terrestre. Essas capacidades podem ser sutis ou não; assim como podem ser comuns a algumas pessoas e a outras, não.

Por que a mediunidade reserva características especiais e específicas? Por que não é igual a todos?

Há aqueles que ouvem espíritos, como há os que os enxergam. Alguns ouvem e enxergam, assim como alguns falam quando incorporados e outros, não. Essas particularidades existem e coexistem dentro de uma única estrutura, que é a mediunidade.

Algumas pessoas nascem com a mediunidade aflorada, perceptível e muito definida. Essa chamo de mediunidade prática, e uso esse termo porque algumas frentes gostam de trazer a mediunidade como dom ou missão, e essa é uma ideia perigosa, já que pode estar ancorada numa perspectiva mais egoica e superestimada de si, alimentando uma vaidade improdutiva no processo de viver a mediunidade.

MEDIUNIDADE NA UMBANDA

Outra percepção para a qual sugiro atenção e senso crítico é a ideia de que a mediunidade seria um karma ou algo que se relacione ao acerto de contas de vidas passadas. Essa forma de entender a capacidade mediúnica como punitiva normalmente faz sentido para aqueles que têm uma disfunção na prática do exercício mediúnico.

Geralmente, para aquele que sofre com uma mediunidade descontrolada, ela se torna um fardo. Assim, a maneira encontrada para interpretar o que está acontecendo é atribuir ao karma todo esse transtorno.

Contudo, isso é uma narrativa criada pela forte influência catolicista numa mistura distorcida da interpretação ocidental sobre o karma. A ideologia católica exalta a dor como processo de "salvação" ou "purgação" dos pecados, e aqueles que se resignam diante dos sofrimentos são reconhecidos como merecedores de benção e salvação. Nesse viés de pensamento, vem a construção da ideia de que a mediunidade é um fardo e, como tal, um presente para você liquidar seus débitos de vidas passadas.

SENTIDOS SENSORIAIS E MEDIUNIDADE

Assim como temos tato, olfato, paladar, audição, visão, também nascemos seres mediúnicos. Como assim? Sim. Temos a mediunidade como o *sexto sentido sensorial* e, como os demais, ela precisa ser estimulada, praticada e entendida por nosso organismo físico e espiritual.

Um exemplo que gosto de dar é sobre nossa visão. Ela é difusa e leva em torno de seis meses para que o bebê a tenha definida, assim como a audição, que também precisa de um tempo para ser "apurada". Existem pessoas que nascem com o que se chama de ouvido absoluto, e conseguem decifrar a nota de qualquer som, até mesmo de uma colher caindo no chão.

Para nós, que entendemos a espiritualidade, sabemos que, para alguém nascer com esse fenômeno auditivo, trata-se de um espírito com maturidade nesse campo. Ele saberá usar isso de maneira plena e desenvolvida. No Brasil, temos alguns musicistas como exemplos, os multi-instrumentistas Hermeto Pascoal e Carlinhos Brown.

Assim acontece com os outros sentidos. Tem aqueles que nascem com visão, outros, sem. Alguns desenvolvem problemas, e outros, não.

A mediunidade é um desses sentidos, no entanto, ela é um sentido do espírito, e não do corpo físico. Em algum momento da vida, ela floresce. Não nascemos com a mediunidade já em exercício, mas, cedo ou tarde, ela floresce e, com isso, cobra uma atenção para o que acontece com o seu corpo espiritual. Nesse momento, tudo passa a reverberar diretamente no corpo físico, uma vez que, agora, esse espírito se encontra encarnado, vivendo uma experiência material.

O que é importante entender até aqui? É que a mediunidade não é dom, não é punição, não te faz melhor, não é uma exclusividade dos "escolhidos", ninguém é mutante ou super-herói por ter essa capacidade.

Não somos mais conscientes pela mediunidade. Mas ela pode ser um caminho para isso. É um sentido sensorial que, se amadurecido e usado com responsabilidade, pode ser um poderoso elo entre o plano terreno e o divino.

Ela também não é boa nem ruim. Não há mediunidade para o bem ou para o mal, o seu uso é o que define sua utilidade. Portanto, ninguém é melhor por ser médium e nem mais capaz por isso.

ENTÃO, QUAL É O PORQUÊ DA MEDIUNIDADE?

Nós reencarnamos sempre com um objetivo: que é passar por este plano melhor do que chegamos. Contudo, sempre haverá indivíduos mais interessados em fazer coisas ruins, e estes também podem ter mediunidade aflorada. E quando ela é "descoberta" ou assimilada por alguém assim, é provável que seu uso seja negativo também.

Por isso, afirmo que não existe mediunidade boa ou ruim, porque ela é simplesmente a capacidade de interagir com outros planos, apenas isso. Mas, juntamente, existe o livre-arbítrio, e essa condição dada a nós permite que médiuns de interesses mesquinhos, egoístas e gananciosos usem esse dispositivo para prejudicar os outros.

Depois de entender conceitualmente o que é a mediunidade, vem outra questão: como a mediunidade acontece? Como se dá essa comunicação?

Aqui faço um parêntese: nas demonstrações de Allan Kardec, mesas de toneladas flutuavam sobre o ar e promoviam um espetáculo para a plateia. Como isso podia acontecer?

Parece "mágica". Mas, do lado espiritual, acontece um fenômeno técnico. Nessas ocasiões, espíritos retiram ectoplasma das pessoas, na verdade, dos médiuns de efeito físico. O ectoplasma é uma energia mais densa do que a sutileza de um espírito, mas menos densa do que a matéria propriamente dita.

Ao retirar essa energia, os espíritos moldam uma ferramenta, algo como um macaco mecânico que levanta o carro, por exemplo. Encaixam isso no objeto, fazem uma conexão vibratória e conseguem mover elementos físicos neste plano.

Um clarividente apurado consegue ver toda essa dinâmica. Mas por que explico isso? Porque toda ação espiritual pode ser explicada. As coisas não acontecem de forma isolada. Existe uma lógica por trás de tudo e, para que uma mesa levite, é necessária a existência de médiuns de efeito físico.

Você deve se perguntar agora: o que de fato é essa capacidade mediúnica? Esse médium consegue produzir e desprender de seu organismo uma grande quantidade de ectoplasma*, que pode ser usado nesse tipo de materialização. Essa é uma mediunidade que também permite que objetos apareçam em locais onde não estavam anteriormente.

Essas questões que explico aqui são a parte técnica. Você pode não acreditar, mas tudo possui um fundamento para acontecer, não é um milagre, obra de Deus, ou simplesmente um fenômeno que não tem explicação.

Por isso, para tudo o que é observado sobre a mediunidade, é preciso se perguntar: mas como isso se dá? Ou: como acontece essa conectividade do indivíduo com o plano espiritual?

Médiuns são "sensores". Captam outras estruturas e abrem uma comunicação. Como quando pensamos num satélite, num rádio, que é um ins-

---

*   Ectoplasma: (do grego *ektos*, "externo", e plasma, "algo moldado ou formado") é o termo usado no espiritismo para definir a energia espiritual "exalada" pelos médiuns de efeito físico. O termo foi criado em 1894 pelo pesquisador Charles Richet. Esse elemento é utilizado para equilíbrio e cura do corpo físico e perispiritual, bem como para materializações.

trumento para a captação de frequências que se sintonizam. O espiritismo adotou mais fortemente a analogia de que os médiuns são "aparelhos", fazendo referência à sua capacidade de sintonizar.

As pesquisas sobre a glândula pineal são uma das formas científicas de buscar pelo órgão responsável por fazer essa conexão. O Dr. Sérgio Felipe de Oliveira, cadeira da Universidade de São Paulo (USP), dissecou e pesquisou cérebros e compreendeu que a glândula pineal é uma estrutura microcalcificada no nosso cérebro capaz de agir como a chave de conexão, ou o "roteador", que nos conecta com outra realidade espiritual.

Em todos os cérebros que ele estudou, sua observação foi de que médiuns têm a glândula pineal mais desenvolvida, enquanto os médiuns não praticantes têm essa estrutura menos desenvolvida.

Dr. Sérgio Felipe de Oliveira descobriu também, por meio de ultrassonografias, que médiuns em atividade mediúnica têm a glândula pineal aumentada. Ao sair do transe, ela se recolhe e diminui.

Mas entramos agora num outro ponto de nossa leitura: o cérebro e o poder da mente. Ao final deste capítulo, você encontrará o link para nossa página, na qual temos uma palestra do Dr. Sérgio Felipe de Oliveira.

MENTE, CÉREBRO E SENTIDOS SENSORIAIS

A filosofia explorou o conhecimento humano durante séculos e, até pouco tempo, um dos temas mais discutidos pelos cientistas era "o que é a mente e onde ela está?"

Ainda temos alguns debates sobre a conclusão disso e, mais recentemente, os estudos da Neurociência revelaram novas descobertas. No entanto, o que de fato sustentava os questionamentos mais cruciais era a descoberta de onde fica nossa memória.

Durante muito tempo, pesquisadores acreditavam que a memória teria uma região própria de registro no cérebro, enquanto outros defendiam que se espalhava por todo o órgão.

MEDIUNIDADE NA UMBANDA

Neste início de século, foi descoberto que o lobo pré-frontal registra as memórias curtas, que depois são processadas pelo hipocampo para registro das memórias longas.

Nosso cérebro não funciona sem a mente. Por mente podemos entender a estrutura não física (cérebro) no que se trata de pensamento, sentimentos, inteligência e mentalidade humana. Tudo o que somos a partir do funcionamento do cérebro.

A mente é espiritual. Quando tratamos dela, estamos falando pontualmente sobre o "cérebro do espírito". Somos seres espirituais, viemos de outra realidade e reencarnamos aqui.

Nosso corpo físico não funciona sem nossa alma. Nossos órgãos não podem ser ativados sem que haja um espírito que os anime.

Vou fazer uma comparação com algo que todo mundo usa atualmente: um smartphone é *hardware*, ou seja, as peças que o compõem. Mesmo com todas as peças, se você colocar um *smartphone* na tomada, ele não funcionará sem que seja instalado um *software*. Este é o sistema operacional, é aquilo que anima as peças para que elas executem as ações ordenadas por ele. O *software* é a alma do *smartphone*.

Nosso espírito é o sistema operacional que dá o comando para nosso organismo funcionar, desenvolver-se e existir em harmonia.

O espírito é acoplado ao corpo na gestação e assim acontecem as conexões vitais por meio dos chakras. É dessa forma que nosso cérebro espiritual (mente) assume o controle da estrutura física.

Por isso, entendemos o cérebro como um conjunto de peças da mais alta tecnologia, que tem a capacidade de processar as coisas da mente. Ao registrar todas as operações comandadas pela mente, ele tem a capacidade de se desenvolver.

Nesse sistema, encontramos uma peça que se chama memória, e essa também é uma estrutura física, lembra?

Se em um *smartphone* você tira a peça correspondente à memória, isso afeta o funcionamento do *software* que, em nossa analogia, é a mente. Por isso, é imprescindível que o cérebro esteja funcionando perfeitamente para que a sua mente tenha condições de se desenvolver.

Nosso corpo é por onde a alma se processa. Mesmo que o espírito esteja perfeito, se as "peças" apresentarem defeito, obviamente, isso limitará o desdobramento físico da alma.

Vou dar um exemplo: o seu braço também existe no seu espírito. Se você o perde na matéria, ele continua presente no espírito. Mas, no plano terrestre, você não consegue mais vê-lo ou tampouco utilizá-lo, já que a "peça" física foi danificada.

Quando entro nesse assunto, é possível que haja reflexões confusas. Por isso preciso deixar claro que a mente é do espírito, ela é o que anima o cérebro, enquanto ele precisa processar as informações da mente o tempo todo. É por isso também que, quando essa estrutura física é afetada, compromete-se a materialidade entre a mente e a ação do indivíduo. Como acontece com as doenças degenerativas, quando o corpo físico limita o espírito de ser o que é de fato.

O corpo precisa ser um ambiente saudável para que a alma flua cada vez melhor. Ao reencarnar, mesmo que seja um espírito milenar, a memória é zerada. Continua guardada, mas não conseguimos acessar facilmente essa área. Aa maturidade espiritual pode despontar em um momento da vida, mas não trará informações bem definidas sobre o que já se viveu. Você não vai ter lembranças nítidas como "eu me lembro do que fiz em uma cidade espiritual". Obviamente, isso não acontece. Mas a intuição é um mecanismo que traz muito do que foi marcante para aquele espírito, e acaba refletindo nas suas ações.

Acredito que viver no agora é uma oportunidade. Estar vivo é uma grande oportunidade. Ter a graça de receber este corpo, independentemente de como ele é! Por isso, cuidar dele é também uma reverência a Deus. Cuide do seu da melhor forma.

Se, porventura, você tiver nascido com alguma "falha" no *hardware*, ainda assim, zele por ele e seja grato. É uma oportunidade de desafio, de superar as limitações e fazer a diferença.

Certa vez, uma senhora de setenta anos chegou no terreiro lamentando porque estava com um problema no osso do pé e não conseguia mais caminhar. Por causa disso, ela alegava que estava depressiva. A entidade respondeu: "É estranho que você fique depressiva por causa disso e não observe que existem pessoas sem pernas que são felizes e aprenderam a viver bem com isso".

MEDIUNIDADE NA UMBANDA

Essas são algumas situações de terreiro que só estando nele você vive. A senhora ficou até constrangida.

Stephen Hawking é um grande exemplo. Maior físico dos últimos tempos, uniu teoria física científica robusta com as ideias que estão imperando no momento, e trouxe explicação até para Deus. Para quem não conhece a obra de Hawking, indico que leia o livro *O Universo numa casca de noz*, e, para quem quiser conhecer sua história, veja o filme *A teoria de tudo*, que narra sua vida.

Esse cientista criou condições para que, mesmo depois de diagnosticado com Esclerose Lateral Amiotrófica (ALS), uma doença que, com o tempo, paralisa o corpo em decorrência da morte dos neurônios responsáveis pela função motora, pudesse fazer sua alma fluir num corpo com peças "quebradas". Ao perder a capacidade de falar, criou uma mecânica na qual o sistema reconhece reflexos de sinapses do seu cérebro e converte-as em voz.

Portanto, se nós temos um corpo, devemos cuidar dele para que nossa alma sempre possa fluir por ele. Enquanto nossa mente animar o cérebro, o corpo vive. Quando, por algum motivo, o espírito rompe essa conexão, rapidamente o corpo se deteriora, porque o corpo não é nada sem a animação espiritual. É uma substância e, por isso, é animado desde o ventre da mãe.

Retomando: nós temos a mente, que é o cérebro espiritual, e o cérebro, órgão que é animado pelo espírito e que, por sua vez, anima todo o nosso organismo e nossos sentidos. Agora chegamos na mediunidade, que, no que tange ao cérebro, é um dos sentidos sensoriais.

OS 3SS

Quando pensarmos em mediunidade, vamos nos lembrar de três "S", porque ela é o sexto sentido sensorial, como já expliquei anteriormente. Mas quando sua mediunidade está aflorando, você precisa refiná-la, entendê-la. Como fazer isso? Ela é quase que como um membro novo que surge no seu corpo e, se você não entende sua função, começará a te incomodar.

Nessa descoberta de um corpo espiritual sensível a outras comunicações, a mediunidade pode trazer alguns desajustes e, por isso, você precisa cuidar dela, assim como cuida do seu corpo físico.

Para isso, então, existe o desenvolvimento mediúnico. Mas é um processo. Começa-se explorando o novo terreno, exercitando-o. É como aprender a tocar violão: é preciso conhecer a sua funcionalidade, as notas e, então, começar a dedilhar, estudar as posições de mãos e, depois, criar um ritmo. Tem gente que se frustra ao entrar no terreiro, porque começa a se desenvolver, e em quinze dias já quer incorporar, dar passe, e provavelmente isso não acontecerá.

Nosso cérebro também é outro exemplo, assim como um músculo, ele precisa ser exercitado e estimulado. Quanto mais conhecimento você adquire, mais ele se desenvolve e se expande. Quanto mais estudamos, maior será o campo de visão e consciência sobre as coisas, e isso é a gratificação do conhecimento.

Com a mediunidade acontece do mesmo modo, mas não se trata de quantidade de vezes que ela é exercitada, e sim da qualidade de conexão que acontece. Todos os dias contam. Estudar, ler sobre sua dinâmica, praticá-la e validar tudo o que vai aprendendo.

Se você vai uma ou duas vezes no terreiro por semana, isso já é o suficiente. Também não adianta você achar que o tempo de trabalho com a mediunidade define a qualidade. Sempre existirão coisas a serem melhoradas, a serem descobertas e compreendidas, seja com dois, cinco, dez ou cinquenta anos de trabalho mediúnico.

Se você está em um caminho ordenado, equilibrado, alicerçado em amor, coerência e conhecimento, a cada dia a mais no terreiro você estará expandindo sua consciência, e isso é evolução.

Agora, se você é um médium com trinta anos de exercício e continua achando que tudo o que tem que saber está com os guias, sinto dizer, o tempo vai passar e pouca coisa vai mudar, porque se você que é o parceiro do seu guia não colabora, fica difícil.

Certa vez, ouvi um médium que se gabava ao dizer que tinha trinta anos de terreiro. Eu estava começando, tinha apenas dois anos de desenvolvimento. Quando perguntavam a ele por que o Caboclo dele não falava, o médium respondia que era porque o Caboclo não sabia português e ele o estava ensinando.

A minha vontade era de falar para essa pessoa jogar no lixo os trinta anos de terreiro que ela tinha. Todo aquele tempo não valia um mês de exercício mediúnico dedicado ao estudo, ao comprometimento e ao bom senso.

MEDIUNIDADE NA UMBANDA

Ensinar Língua Portuguesa para o Caboclo? Imagine a cena que ele mesmo me descreveu: uma lousa, uma vela verde acesa, e ele ensinando gramática para o "Caboclo Vela". Esse é mais um dos absurdos quase esquizofrênicos que, infelizmente, nos deparamos no ambiente de terreiro sem instrução.

O sexto sentido sensorial, que é a mediunidade, precisa ser dissecado, trabalhado e exercitado cada vez mais. Por isso é preciso saber por onde você está caminhando, qual é o ambiente por onde esse desenvolvimento acontece. Existe estudo? Renovações constantes? As dinâmicas são diversas para que você possa experimentar a mediunidade e encontre como ela se manifesta na sua particularidade? Existe o médium que rodopia, existe aquele que é sutil, existe os com mais gestos e outros com mais dialetos, e assim a mediunidade faz a ponte entre o espírito do "lado de cá" e o do "lado de lá".

O corpo mediúnico é como o nosso corpo físico quando, por exemplo, falamos da prática de exercícios físicos. Não adianta ficar na mesma sempre: ir para o terreiro, rezar e incorporar.

O dirigente precisa ter consciência e ser responsável por essas propostas. Cabe a ele a mudança das dinâmicas. É assim que o exercício da mediunidade pode se amplificar e criar vários tipos de potencialidades. Logo, cada médium descobrirá qual é a sua característica mais ideal.

Estes são os cinco passos para a vivência mediúnica saudável e sólida, que se repete ciclicamente para quem assimila o que proponho aqui:

1. Estudar
2. Praticar
3. Validar
4. Absorver
5. Transcender

1. ESTUDAR: explore os conhecimentos disponíveis, sem restrições, e não aceite que digam o que você pode ou não estudar. Você é livre e o único responsável por seu desenvolvimento pessoal e suas descobertas. Ao se conectar com uma linha de pensamento que faça sentido para você, vivencie-a e pratique-a.

2. PRATICAR: não existe mediunidade no campo da teoria e da contemplação. Se ela for da característica prática, precisa, portanto, ser exercitada. Aplique em ação os conhecimentos que estão sendo adquiridos e só assim poderá validá-los.
3. VALIDAR: a validação se concretiza quando você une a teoria com a prática e ela se consolida, funciona e faz sentido, e você encontra congruência, de modo que tudo se encaixe, trazendo resultados efetivos. Somente quando conseguimos validar algo é que começamos a absorver.
4. ABSORVER: consiste em "metabolizar" o que você aprendeu, praticou e constatou. Absorver é construir a convicção e afastar a vulnerabilidade de manipulações falaciosas e distorções incoerentes. Somente após absorver uma etapa é que você poderá seguir para a subida de degrau.
5. TRANSCENDER: após perceber que um ciclo de conhecimentos está validado e bem absorvido, você deve continuar sua busca por novas possibilidades, novos saberes, e retomar do passo 1 em diante. Assim, estará elevando seu nível, indo degrau a degrau acima e transcendendo seus próprios saberes e aprendizados, em prol de uma mediunidade e uma mente cada vez mais sólidas e eficientes.

SAINDO DO LIVRO...

Convido você a apontar seu celular para o QR CODE ou digitar o link no seu navegador e assistir a um vídeo meu complementar a este capítulo.

https://mediumdeterreiro.com.br/livro/capitulo-3

4.

Chakras

hakra é uma palavra em sânscrito que significa roda, e que remete aos vórtices localizados em pontos específicos do nosso corpo.

Essas estruturas têm como função alimentar nosso organismo energético, de modo que ele consiga trabalhar de forma sadia e também supra as necessidades do corpo físico.

Quando o espírito "sai do corpo" e rompe as conexões com o corpo físico, acontece a falência múltipla dos órgãos, que é a morte propriamente dita. São os chakras que se conectam com os órgãos vitais e fazem eles funcionarem.

Tem-se conhecimento sobre os chakras em todo Oriente e também no Ocidente. Qualquer pessoa que tenha contato com o universo da espiritualidade já se deparou com o princípio dos vórtices que absorvem e transportam as energias em nosso espírito. Trata-se de um conceito forte no espiritismo e também na umbanda.

A noção sobre a existência dos chakras aconteceu inicialmente na Índia. Não temos uma data de origem desse conhecimento, mas sabemos que vem sendo transmitido pelos mestres e sábios há milênios.

Acredita-se que os iogues, no auge de suas meditações e desdobramentos, puderam visualizar os chakras no corpo das pessoas. Na Índia, esse conhecimento foi envolvido pela mítica que já existia no local e, por isso, os chakras também são representados pela muito popular e sagrada flor de lótus e suas pétalas, símbolo de profundidade espiritual para esses povos. A literatura sobre o entendimento do que são os chakras sempre estará intrincada pela sabedoria indiana.

A anatomia da flor de lótus é simbolizada por micropétalas que estão sempre em um movimento giratório. O chakra coronário, localizado no topo da cabeça para o umbandista, é o Ori. Ele é chamado de chakra de mil pétalas, embora, na verdade, diga-se que contém exatas 972 pétalas.

Na umbanda, os espíritos saem um pouco do contexto hinduísta e trabalham esse conhecimento numa perspectiva mais pragmática e cotidiana, se assim posso colocar.

Os passes – imposição de mãos que visa transferir energia do espírito para a pessoa no terreiro – são aplicados nos chakras. Esta é a nossa "veia" espiritual, por onde fluem as energias que mantêm nosso espírito vivo e sadio. Não existe a vida humana sem chakra. Até mesmo os planetas possuem seus chakras.

Nosso corpo espiritual é formado por sete chakras vitais. Além disso, há ainda a informação de que existem mais de 21 chakras secundários, que se dividem em centenas de "microchakras", espalhados por nosso organismo. É como se fossem os nossos órgãos e as células que trabalham em cada um deles.

Não me aprofundo nesse ponto em particular, até porque teria que escrever um livro todo sobre chakras, e existem muitas obras excelentes sobre o tema. O que é importante aqui é sabermos da existência dos sete chakras vitais, pois esse assunto não é esgotado; e se você se interessa por ele, aconselho que busque pelas literaturas que tratam exclusivamente a respeito.

7 CHAKRAS PRINCIPAIS:

1. Coronário – no topo da cabeça, ao qual tratamos como Ori.
2. Frontal – o "terceiro olho", localizado na testa.
3. Laríngeo – garganta.
4. Cardíaco – coração.
5. Gástrico ou do "plexo" – localizado onde entendemos como a boca do estômago.
6. Umbilical – dizem estar assimetricamente dois dedos abaixo do umbigo.
7. Básico – sexual ou telúrico, localizado no períneo.

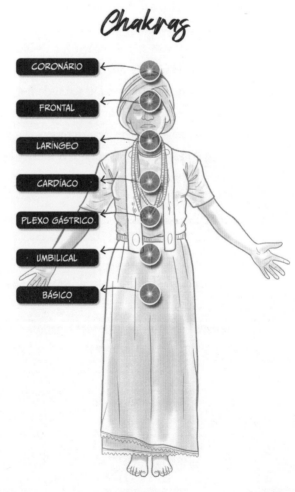

MEDIUNIDADE NA UMBANDA

O chakra coronário aponta para cima, e o básico, para baixo, enquanto os outros são horizontais.

Essas são as estruturas que vão absorver o tempo todo as energias com as quais temos contato, metabolizá-las e transformá-las em um "produto final" que se distribui pelo restante do corpo.

No entanto, os chakras são extremamente sensíveis e possuem certa inteligência. São afetados por nossas emoções, nossos sentimentos e padrões, e isso normalmente os fragilizam, pois, na maioria das vezes, estamos mais caóticos e nocivos do que carregando boas energias. Toda vez que você alimenta sentimentos negativos, também traz para si e alimenta uma estrutura emocional conflituosa.

Sabemos que algumas pessoas acometidas por infarto somatizaram tanto sentimento nocivo e mal resolvido, que com o tempo, isso paralisou o chakra que está ligado ao coração.

Claro que isso não é uma regra absoluta. Existem inúmeras causas catalogadas pela ciência que provocam o infarto, mas, para a espiritualidade, também há os casos em que o acúmulo negativo foi tanto que o órgão físico sentiu a sobrecarga. Portanto, além de absorver energias externas, os chakras também metabolizam energias internas.

O chakra gástrico sofre muito com isso. No caso da pessoa que tem uma alimentação ruim, que opta por alimentos sem energia, sem prana, como são as frutas e os legumes, o chakra gástrico metaboliza tudo isso e joga esse "boom" para o restante do corpo energético.

Isso enfraquece nosso campo vibratório e nosso corpo espiritual. Por isso as entidades pedem constantemente para que nos cuidemos como um todo. Às vezes, estamos muito preocupados com os sentimentos, mas nos esquecemos do restante.

Quando ouvimos a expressão "vigiai", não é só por uma questão moral, mas também sobre estarmos atentos à mente, à vida sexual, aos pensamentos, e a tudo o que pode impactar na energia que produzimos.

Estar hiperpreocupado com jejuns e abstinências, com a intenção de melhor que outro por comer somente alimentos orgânicos e de boa procedência, também é um equívoco. Você não evolui pelo que come: pode sutilizar seu campo energético e apenas isso, basicamente.

O ser humano vivencia sentimentos diversos, mas não pode perder a consciência e a noção do que é. Pois, senão, entra em um estado vegetativo de acomodação. Você pode ser um líder espiritual, pode até mesmo ser uma inspiração para muitas pessoas, no entanto, não deixa de ser humano e vivenciar sentimentos como qualquer outro.

Pensemos, portanto, sobre o equilíbrio!

FISIOLOGIA DO CHAKRA

Aqui no Ocidente, os chakras aparecem como uma roda. Temos a obra de Barbara Ann Brennan, *Mãos de Luz*, que recomendo para quem gosta desse assunto, porque é uma leitura mais densa e técnica, e um livro que conta com muitas ilustrações. A autora é clarividente e tem uma profunda relação de trabalho terapêutico com os chakras.

Ela traz uma nova fisiologia, mostrando-os em formato cônico, sendo que cada um deles têm um núcleo e vários outros túbulos em volta, que dão o seu aspecto de cone. Esses túbulos possuem cordões que se ligam entre as pontas.

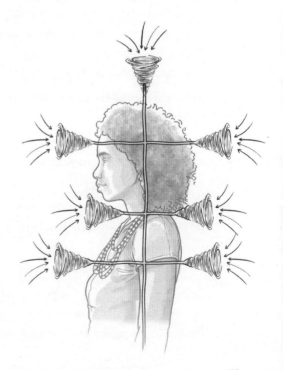

MEDIUNIDADE NA UMBANDA

Os chakras normalmente sempre têm duas aberturas, não uma de entrada e outra de saída. Por ambas as aberturas circulam energias que entram e saem.

Eles operam numa espécie de rotação de um lado para o outro. Ao ficarem carregados de energia densa, cria-se algo parecido com uma areia ou lama em seus sistemas, e isso impede que a rotação aconteça normalmente.

Ao dificultar a rotação, os chakras perdem sua capacidade de filtrar energias, e é então que o acúmulo aumenta exponencialmente.

Mas o que são essas energias?

Quando pontuo sobre energias densas, não estou me referindo a algo necessariamente maligno. São energias que estão em nosso ambiente, mas são nocivas e, por isso, precisam ser filtradas. Quando isso não acontece, começamos a perceber doenças e transtornos diversos.

Os chakras, além de seu movimento de rotação, também têm o seu "pulsar". Esse pulsar cria um campo vibratório que chamamos de aura.

A aura é uma camada de energia mais espessa, bem próxima do nosso corpo ou do nosso perispírito. O chakra é o responsável por criar a aura que os envolve como uma camada protetiva.

O chakra, em seu movimento de pulsar, cria a aura, que, por sua vez, permanece em vibração, expandindo-se e dando origem ao campo energético. Esse, no que lhe diz respeito, pode ter até um metro de diâmetro do seu eixo. Este é o campo energético, eletromagnético ou mediúnico. São vários nomes para uma mesma estrutura, que passará a ser preenchida de estruturas energéticas, poeiras etc.

Um clarividente apurado é capaz de enxergar folículos que estão nessa "cápsula". Tais folículos agem como uma cerca elétrica. Se uma estrutura nociva entrar no campo energético, serão eles que vão perceber, envolver e disparar a informação. É como se todos os milhares de folículos espalhados pelo corpo energético, ao mesmo tempo, essa informação, e então notificassem os chakras.

Ao serem informados, os chakras começam a trabalhar em modo "turbo" para filtrar essas energias densas. Nosso organismo físico também percebe isso, por meio de arrepios, bocejos, vibração, sonolência... a depender do tipo de invasão energética que aconteça no momento.

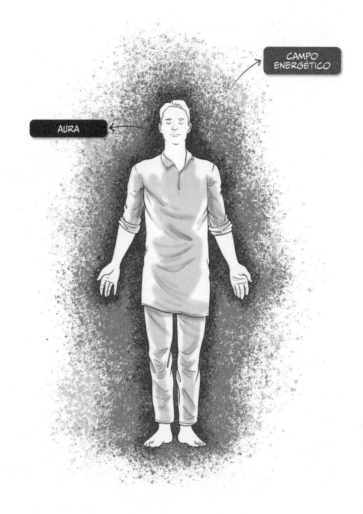

Não existe uma regra para dizer que o bocejo, por exemplo, significa isso ou aquilo. É muito provável que, ao entrar num terreiro, sua energia seja modificada, pois a energia ali é diferente da que você encontra em sua casa ou na rua. É comum, portanto, a ocorrência de transpiração, bocejo e vibrações pelo corpo.

O bocejo, portanto, é uma reação orgânica, e não tem uma definição única para acontecer, a não ser que você esteja cansado, obviamente.

O que se pode observar é que se, a partir do bocejo num lugar em que você sente a diferença de energia, outros sintomas procederem, como mal-estar, tristeza, enjoos constantes, então essa pode não ter sido uma boa experiência. É assim que sempre observo essas reações: prestando atenção à continuidade que elas têm.

CHAKRAS E MEDIUNIDADE

A própria mediunidade só acontece por meio dos chakras, elos que fazem a conexão entre nossa realidade e as outras, não exploradas.

Os orixás possuem irradiações que emanam correntes energéticas, as quais entendemos como as setes linhas de umbanda. Cada uma dessas irradiações são, em si, um mistério de Deus, da fonte criadora de tudo.

Essas energias carregam fatores que se manifestam em nós e surgem como características humanas. Temos conhecimento, na umbanda, das seguintes: *fé, amor, conhecimento, justiça, ordem, evolução e geração.*

Tais sentidos da vida são irradiados pelas divindades/orixás, e se caracterizam pelo que chamamos de tronos: Trono Cristalino, Mineral, Vegetal, Ígneo, Eólico, Telúrico e Aquático. No planeta, eles se distribuem de forma totalitária e passam a se difundir, chegando até nós, humanos. Absorvemos essas irradiações e isso compõe a nossa essência, formando o que somos.

O chakra coronário/espiritual recebe energias do Trono Cristalino, ou seja, de Pai Oxalá e Mãe Logunã.

O frontal/mental cuida do cérebro, olhos e de toda a parte física. Esse é o Trono Vegetal, no qual temos Pai Oxóssi e Mãe Obá. É o chakra do conhecimento, do raciocínio e da expansão de consciência.

No laríngeo, encontramos o Trono Eólico, na força de Pai Ogum e Mãe Iansã. O elemento é o ar, e esse chakra cuida de toda a estrutura eólica do nosso organismo. A fala é um dos sentidos regidos pelo trono ordenador/eólico. Observe o peso que a sua fala e que o verbo têm. Tudo é vibração, movimento, energia e magia. Ao falar, desencadeamos ações, estamos fazendo determinações sob a regência da lei.

No chakra cardíaco, encontramos as emoções, o Trono do Amor, sustentado por Mãe Oxum e Pai Oxumarê. Os nossos sentimentos são manifestados nessa área do corpo físico também.

O gástrico entendemos como o Trono da Justiça, de Xangô e Egunitá. Essa é uma região quente, ígnea, e que manifesta fortemente esse sentido da vida.

No umbilical fica o Trono Telúrico, da transformação, regido por Pai Obaluayê e Nanã Buruquê.

E, por fim, o chakra básico pode ser relacionado tanto com o Trono Aquático de Mãe Iemanjá e Pai Omolu como para Exu e Pombagira.

Existem esses dois olhares para esses chakras e interpretações diferentes, mas o fato é que todos os chakras absorvem as energias de todos os orixás, e isso flui em nós de alguma forma.

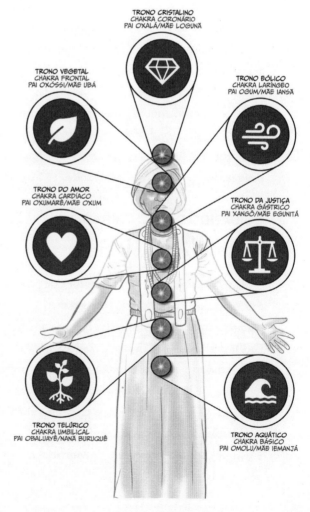

Há os chakras que recebem de maneira mais complexa e intensa a energia de determinados tronos, mas, ainda assim, de forma secundária, recebem e irradiam energias de todos os orixás.

Agora já dá para ter uma noção de como sentimentos negativos reverberam em nós? Se há um acúmulo de sentimentos raivosos, rancorosos no chakra cardíaco, sua função pode ficar comprometida e, então, ele adoece, até, em algum momento, parar de trabalhar. É então que o seu ponto de conexão com as emoções e com Mamãe Oxum deixa de existir. Quais as consequências possíveis? A pessoa pode se tornar uma pessoa deficiente de equilíbrio emocional e sem controle sobre atitudes e ações nesse sentido.

Quando nos referimos aos planetas, entendemos que as cachoeiras e os rios são o coração e o chakra cardíaco do mundo. Se eles secam, não há mais por onde as emoções e o amor do todo fluírem, serem condensados e retornarem a nós. Se os rios e cachoeiras acabarem, a humanidade perderá a capacidade de sentir emoções, pois não haverá mais por onde ter acesso à energia de Oxum.

Essa é a forma que compreendemos como a energia dos orixás chega até nós e como suas irradiações se distribuem por meio dos chakras.

Por isso, é preciso cuidar do todo e de si, para ter uma vida saudável e manter todos os chakras trabalhando.

CUIDANDO DOS CHAKRAS

Você deve se perguntar agora, mas como mantenho meus chakras saudáveis?

Uma das práticas mais salutares e que pode ser feita sem precisar de nada e de ninguém é a meditação. Indico a meditação guiada, conhecida como *mindfulness*. Especialmente em dias que não foram os melhores ou naqueles que você gostaria que não tivessem começado.

Quando se está com muita irritação, chateação ou tristeza: nesses momentos a meditação *mindfulness* pode te ajudar. Os dias mais alegres e felizes talvez não sejam os mais ideais para uma meditação, porque ela pede serenidade. Sua busca, ao meditar, deve ser o equilíbrio, e, por isso, a meditação é sempre muito bem-vinda e providencial em situações nas quais tenhamos nos excedido.

Existem as meditações em que se visualiza pontos de cores ou da natureza, e estas são simples de realizar. Vá até seu quarto ou o local mais tranquilo, coloque uma meditação guiada, acenda um incenso, se possível, coloque uma música relaxante, sente-se em uma posição de conforto e deixe-se levar por esse fluxo.

Esta é uma poderosa arma de reflexão sobre o seu dia, sobre aquela situação que te desequilibra e que pede para que você recobre a consciência, o bom senso e o equilíbrio propriamente dito.

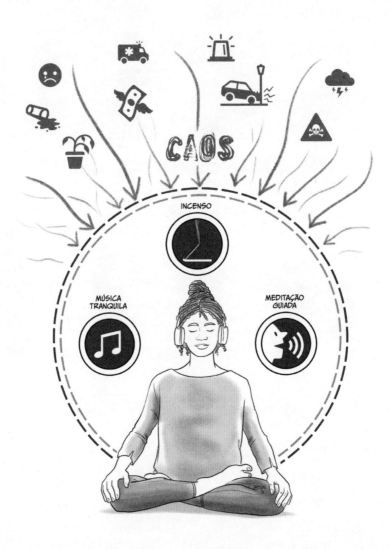

Isso impacta diretamente EM seus chakras e faz com que eles trabalhem melhor. Outra forma muito umbandista e eficaz de cuidar dos chakras é o banho de ervas.

Ao jogar o preparado de ervas, feito de uma forma correta, ritualizado e ativado, seus chakras absorvem o magnetismo vegetal de cada uma delas e os redistribui pela sua aura. Com isso, seu campo energético restabelece as energias perdidas.

Não é preciso tomar banho de ervas todos os dias, mas ter uma rotina incluindo essa prática é muito importante. O umbandista normalmente já mantém o banho de ervas no dia a dia, ao tomá-lo antes da gira.

A defumação tem quase a mesma função do banho de ervas, por isso, é essencial a sua prática nos ambientes e mesmo no corpo. A grande diferença é a presença do fogo, que é um forte consumidor de energias pesadas. Nos terreiros, é muito comum a defumação do ambiente, e isso também ajuda a restabelecer a energia das pessoas que estão presentes.

Vale lembrar que, ao sentir alimentadas as vibrações ruins, essas são algumas das práticas que podem ser feitas, e a meditação é fortemente indicada. Entretanto, se você apresenta um padrão emocional já muito prejudicado, indico que procure a ajuda da terapia. Esse é o caminho mais adequado.

O banho de ervas não vai tirar todo o ódio que você sente de alguém e que não consegue resolver dentro de si. Ele não vai desaparecer como mágica. O banho ajuda a sutilizar, dando oportunidade para que pense com mais lucidez sobre aquela situação. Mas é preciso que enfrente a situação e reflita sobre ela.

Se nem o Preto Velho nem o Caboclo te ajudam a perdoar algo ou alguém, procure uma terapia e se livre desse padrão nocivo.

O PASSE DA UMBANDA

O passe é uma das formas mais profundas de reequilíbrio dos chakras e acontece rotineiramente. As mãos são terminais nervosos dos chakras e, no passe energético, não é preciso que se toque na outra pessoa. As entidades

conseguem ver a olhos nus onde se localiza a energia mais densificada e trabalham naquele local.

A reflexologia, por exemplo, é um tipo de massagem que trata dos chakras e seus terminais nervosos.

As entidades têm o hábito de estalar os dedos, porque o impacto dos dedos com a área chamada de monte de vênus das mãos ativa o fluxo energético e aciona a maior frequência energética do organismo da pessoa, que é por onde flui a mediunidade.

Com isso, a incorporação flui melhor. Também devido a esse fato é comum vermos a entidades estalando os dedos quando o médium está enfraquecendo sua conexão.

O passe e a cura energética acontecem em questão de segundos: apenas um comando e absorvem todas as energias densas; puxam e dissolvem ao estalar os dedos toda a "sujeira" energética em outra realidade etérica. Elimina-se tudo, das menores densificações até mesmo os cascões.

Bater palmas também é outro mecanismo de manipulação fortemente utilizado pelas entidades, assim como o tabaco, que é um dos elementos purificadores e está sob o comando das entidades, ora trabalhando como agente de limpeza, ora recarregando o chakra com boas energias.

Se, em uma gira, não foi possível cuidar e reenergizar totalmente seus chakras, é comum que as entidades peçam que você volte até que o trabalho seja concluído, ou realize algumas práticas em casa.

No SAINDO DO LIVRO deste capítulo eu aprofundo em vídeo sobre os danos da somatização emocional nos chakras e a geração de doenças, confira!

SAINDO DO LIVRO...

Convido você a apontar seu celular para o QR CODE ou digitar o link no seu navegador e assistir a um vídeo meu complementar a este capítulo.

https://mediumdeterreiro.com.br/livro/capitulo-4

5.
"Médiuns de mesa" e médiuns de terreiro

xiste uma grande discussão quando se trata da mediunidade. Ainda há espíritas mais ortodoxos, que são radicalmente contra o que praticamos como mediunidade. Por sua vez, vemos, por influência, muitos umbandistas renegando o que é particular do trabalho mediúnico umbandista, alegando a necessidade da "purificação do ritual". Cada vez mais, temos terreiros parecidos com as sessões espíritas e distantes do entendimento da essência de terreiro.

Agora, entramos no assunto principal deste livro, que é a compreensão do que se tratam as particularidades da mediunidade de terreiro, a qual denomino de mediunismo de terreiro.

Até aqui, leitor, você já sabe que a mediunidade é universal, que não é um dom e, sim, um sentido sensorial; e tem a base para explicar como ela se manifesta de forma geral. Neste momento, chego no ponto delicado que me gerou muitas

MEDIUNIDADE NA UMBANDA

críticas em minhas investigações sobre o tema. De um lado, estão aqueles que defendem que a mediunidade é uma só e que o livre-arbítrio de cada pessoa é quem decidirá em qual religião ela se manifestará. E do outro, está a minha defesa de que cada indivíduo carrega uma mediunidade específica, ou uma inclinação vibratória que determina – ao menos em parte – sua aptidão para a mediunidade de terreiro ou qualquer outra.

Isso nada tem a ver com destino. Mas, quando falamos sobre reencarnação, é preciso ter clareza de que existe uma ancestralidade e uma teia de relações que nos envolve. Isso é nossa história. A biografia do nosso ser, da nossa alma. As entidades de terreiro que nos acompanham são nossa família espiritual, e estão conosco há mais tempo do que podemos imaginar. Um dia também foram encarnados como nós, assim como estaremos do outro lado em algum momento.

O fato é que há um motivo maior para estarmos na umbanda como médiuns. Estamos envolvidos com essa vibração ancestral há muito tempo e, antes de reencarnarmos, passamos por uma preparação, justamente para saber lidar, neste plano, com essa especificidade de uma característica mediúnica atávica*, que se consolida na corporeidade** da incorporação.

O trabalho espiritual cumprido na umbanda e nos cultos de terreiro é genuíno. Tem uma identidade própria, como uma especialidade que não se repete em outros ambientes mediúnicos.

É possível observar semelhanças com o espiritismo. No entanto, a prática de terreiro que acontece durante as giras é única. Pode acontecer em qualquer ambiente, mas quando ocorre sob a vibração dos espíritos que atuam na seara umbandista, torna-se muito particular.

---

*   Mediunidade atávica: que vem de uma hereditariedade ancestral.

**   Corporeidade: termo da Filosofia usado para explicar a maneira pelo qual o cérebro reconhece e utiliza o corpo como instrumento relacional com o mundo. Aqui posto na Incorporação, para compreender que essa é maneira como o médium de terreiro sente, entende e se identifica no transe com a entidade espiritual. Por corporeidade, aqui entenda o movimento, as características, vestimentas e trejeitos de identidade e individualização do sujeito-entidade no coletivo do terreiro e comunidade religiosa.

Por isso, o que proponho é que, embora exista o livre-arbítrio e que você possa escolher se afastar do que é sua inclinação, ao estar numa mesa espírita e incorporar Preto Velho ou Caboclo, por exemplo, sua mediunidade está para o "mediunismo de terreiro".

Há de se entender que está tudo bem em não se sentir bem em terreiros, mesmo acreditando que o que falta, possivelmente, é uma afinidade, sutileza e coerência no trabalho desempenhado em determinados ambientes. Tudo isso causa certo medo em algumas pessoas.

Até porque é natural que a pessoa esteja em outra frequência de entendimento sobre suas crenças e, talvez, até mesmo sobre a mediunidade, e simplesmente não queira se envolver com esta religião, no mínimo desconhecida.

É então que ela passa a levar a sua "mediunidade de terreiro" para outro lugar. Mas, independentemente de estar ou não no terreiro, as entidades que se apresentam e estão na sua teia ancestral são da umbanda, e é isso que você carrega consigo. É isso que você é em essência. É isso que você tem e vai exercer em qualquer ambiente que seja propício à mediunidade.

Isso não quer dizer que não se possa frequentar outra religião a não ser a umbanda, ou derivações de terreiro, ou que a pessoa esteja bloqueada de exercer a mediunidade em outros ambientes. Não é isso. Mas quer dizer que a identidade mediúnica do indivíduo está para esta vibração específica.

Quando acontece, por exemplo, de um médium de umbanda trabalhar na sessão espírita, para ele é algo muito suave. A manifestação mediúnica dos ambientes espíritas é bem mais sutil. Para quem está acostumado com o ritmo da gira de umbanda, ir a um centro espírita, às vezes, é um pouco desesperador, porque seu corpo mediúnico já espera por uma movimentação e uma carga energética muito maior.

Por sua vez, a experiência do médium espírita no terreiro pode ser incômoda, grosseira e até mesmo perturbadora, uma vez que a sua característica vibratória pertence a outra ancestralidade e frequência.

Normalmente, nesses casos, não acontece a incorporação, porque não existe o "link", e se, porventura, incorporam, é comum o relato de sentirem-se extremamente esgotados, pois o campo vibratório é outro. Eles estão preparados para exercer outro caminho mediúnico.

Todas as religiões reservam particularidades vibratórias. Existem médiuns em todas as religiões, o que acontece é a mudança na característica. Começamos aqui a entender sobre individualidades. O respeito à diversidade religiosa já não é mais sobre a crença e, sim sobre a característica essencial da pessoa.

Ao compreender isso, é muito mais fácil respeitar e aceitar que cada um tem um caminho individual e uma identidade vibratória específica.

FUNÇÃO DAS "MEDIUNIDADES"

Vou iniciar comentando sobre o espiritismo, que traz em seu discurso principal a ideia da boa-nova à humanidade. Para os espíritas, Allan Kardec trouxe revelações sobre a vida eterna e como nossos atos nesta encarnação refletem no pós-morte, alertando sempre para a observância desses atos.

O espiritismo se dedica, de uma forma geral, a isso: levar o esclarecimento acerca da espiritualidade aos seres humanos e, ainda, promover a reforma íntima para que a vida eterna ou a reencarnação estejam bem garantidas. As ideias de ação e reação e karma são muito latentes na vida do espírita.

Por isso, também, seu trabalho mediúnico é mais sutil, e não tem como ambição desenvolver uma ciência e tampouco a compreensão sobre a magia. O espiritismo é mentalista, e uma coisa que ninguém pode dizer é que nele há falta de ensinamentos ou de conhecimento. Esse é um dos grandes méritos da doutrina espírita.

Sua literatura, por exemplo, é uma das mais vastas, e sua produtividade não para. O ritual sagrado do espírita é a leitura. As reuniões mediúnicas espíritas são organizadas a fim de que os espíritos possam vir e passar ensinamentos doutrinários sobre a reforma íntima e, ainda, instigar o indivíduo sempre a olhar para si e a cuidar de si.

Não há uma preocupação com influências malignas e nocivas provocadas por magia negativa. Para o espírita, cuidar da mente e do comportamento é o que basta.

E é nesse "espaço" que a umbanda se faz presente. A umbanda trata justamente de questões além da mente ou do comportamento.

Costumo dizer que, para desenvolver o trabalho mediúnico na umbanda, é necessário um preparo ectoplasmático, como uma blindagem dos chakras mesmo!

A atuação da umbanda, no corte de magia, requer um "colete à prova de balas" mediúnico. Quando falamos disso, estamos nos referindo ao campo de atuação. Entramos, então, na especificidade mediúnica da umbanda.

O fundamento umbandista também diz sobre a reforma íntima constante, e cada vez mais nos engajamos a entender a religião. No entanto, ela lida com algo a mais, que é o trabalho com a magia de forma livre.

O passe das entidades – sobre o qual já comentei anteriormente – é um exemplo claro da magia de umbanda. Nos utilizamos de diversos elementos, de ervas, de água e de grafismos para fazer magia. Quem já entrou em um ponto riscado e sentiu seu corpo "fritar"? Essa é a magia de pemba. O giz e a geometria sagrada que as entidades se utilizam para executar os Pontos Riscados.

Essa sensação é única e incrível. A umbanda tem um leque magístico para lidar com magias negativas que chegam nos terreiros. Existem dois tipos básicos de magia: atuação das trevas e a magia provocada por indivíduos encarnados. Aqui, entramos no conceito dos feiticeiros, magos e demais pessoas que se especializam em fazer magias.

Existem as magias movidas pelo plano espiritual negativo que não tem um encarnado como intermediário. Por que isso acontece? São diversos motivos, porém, o mais comum é a ação contra um líder espiritual, o terreiro, seus médiuns e demais pessoas que mantêm aquele trabalho de combate às influências das trevas.

O objetivo é simples: destruir aquele trabalho, a pessoa, e acabar com o terreiro. As investidas são terríveis, como verdadeiras táticas de guerra. Reverter essas situações é um trabalho complicado e demanda que os médiuns estejam prontos para lidar com choques energéticos muito diferentes do habitual. Requer mesmo um preparo vibratório diferenciado.

O médium que nasce inclinado à umbanda ou à mediunidade de terreiro tem em si essa "blindagem magnética". E, não, ele não é melhor, ele só é específico naquilo. Assim como um neurologista e um cardiologista. Um não é melhor do que o outro, os dois são fundamentais, cada qual em seu campo de atuação.

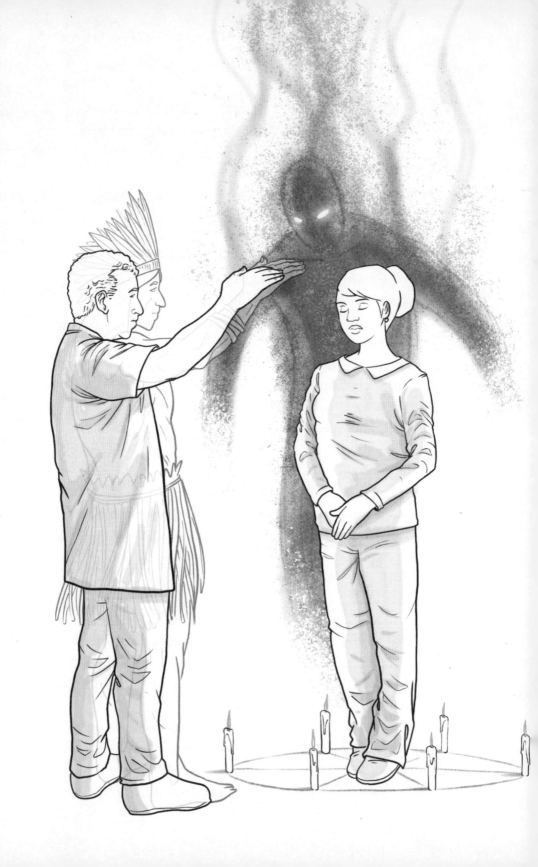

Numa comparação, a fim de deixar isso mais claro, podemos dizer que o médium espírita seria a polícia rodoviária, que age mais como um orientador. Já o médium de umbanda é a polícia de choque, um "BOPE" da espiritualidade. Por isso são utilizados outros armamentos, blindagem etc.

O médium umbandista nasce com essa predisposição, porque ao chegar o momento de se desenvolver, estará sujeito a esses tipos de confrontos e choques vibratórios.

No exercício rotineiro do terreiro, esta é a sua função. As pessoas que chegam na gira, em sua maioria, já frequentaram inúmeras religiões e não viram nada ser resolvido. Chegam no terreiro e descobrem que ali existe uma ação de magia contra ela.

Esse tipo de situação não se resolve com doutrina. Não tem como você chamar o "chefe da gangue" das trevas e dizer: "meu irmão, Jesus te ama, você precisa aceitá-lo em seu coração".

Não tem como fazer isso! Primeiramente, porque, na maioria das vezes, esse "chefão" não aparece. Quem vem são seus soldados, espíritos inferiores na hierarquia. A não ser em uma situação muito extrema, o espírito que comanda esses ataques não aparece no terreiro, porque sabe que vai encontrar ali um Exu. O Exu é o emissário, o guardião da lei, e ele desmonta toda a estrutura.

O médium de umbanda vivencia tudo isso. Quando uma pessoa magiada chega, o trabalho de corte de demanda começa a ser feito. Isso quer dizer – de forma técnica – que a entidade vai riscar o ponto, usar elementos, acender a vela, fazer uma evocação, iniciar um transporte energético e, com isso, tirar a ação negativa que foi enviada à pessoa.

A partir de então, quebra o ponto negativo que foi firmado em detrimento desse indivíduo. Se aquele médium não tem uma blindagem, não suportará essa frequência vibratória. Por isso, a umbanda tem como papel confortar quem chega ali, dar um passe de reequilíbrio; mas, se em algum momento houver uma situação de confronto, a espiritualidade vai agir e encerrar aquilo ali mesmo.

É nesse cenário particular que surge o mediunismo de terreiro: a predisposição para um trabalho específico, no qual as vibrações oscilam entre as mais densas, e o médium precisa se sustentar durante o processo de desmagiamento ou quebra de demanda. Quem dá suporte para que ele faça esse trabalho são as entidades de umbanda.

Existem essas especificidades mediúnicas, que não são melhores nem piores uma que as outras, são o que são. Ao entender isso, começamos a explicar diversas situações em que a pessoa se descobre "médium de terreiro".

Mas, além da sua característica natural, que de certa forma está inclinada a esse trabalho, o médium precisa contribuir para o exercício saudável da sua capacidade mediúnica.

Quanto mais se tem a prática munida de conhecimento, melhor todas essas experiências vão acontecer. Não existe médium melhor, mas a melhor mediunidade é praticada quando se há conhecimento. A prática é harmônica e não carrega dor, sofrimento ou qualquer angústia. Aprender constantemente, e com isso, fortalecer-se: essa é a forma mais eficaz de praticar a mediunidade.

As diferenças entre médiuns estão justamente no nível de dedicação, conhecimento, comprometimento e afinidade com aquele trabalho que almejam realizar.

Além de tudo o que já elucidei, ainda é preciso observar a individualidade de cada pessoa. Cada um traz consigo um nível evolutivo e, portanto, também, um nível de entendimento e compromisso. Todas essas características performam os traços da mediunidade no indivíduo.

Não há um caminho específico tido como ideal, mas sim, o seu próprio caminho. O que você sente em seu coração. Este é o caminho. Um chamado pessoal!

O que tratei até aqui é que, embora exista o livre-arbítrio, também há uma predisposição natural. Ao alinhar a sua decisão consciente e suas emoções com o que é sua natureza, podemos dizer que estamos perto do caminho ideal.

Ao estar nele, sinta-se em paz. A jornada é leve e cheia de sentido.

Quando me questionam sobre o universalismo, alegando que a mediunidade se processa em qualquer ambiente, concordo com isso, a mediunidade pode acontecer em qualquer vertente religiosa. No entanto, o médium que traz consigo espíritos que se manifestam na umbanda vai incorporar na sessão espírita e no terreiro, porque sua estrutura mediúnica permite isso sem que ele sinta entrechoque. O contrário já não é comum.

RODRIGO QUEIROZ

A umbanda tem em seu bojo essa característica universal. As próprias entidades manifestam diferentes formas de trabalhar. Existem várias frequências vibratórias. Dos espíritos mais sutis aos mais densos. Isso é comum ao médium de terreiro.

Mas quem dirá se esse é um caminho que pertence à sua essência é apenas você. Sua satisfação em realizar aquele trabalho e ser eficaz no que faz é o que determina se este é o seu caminho. Você só será um "bom médium" se fizer tudo isso em paz.

A mediunidade não pode ser motivo de dor, incômodo ou mal-estar. Não é dívida, não é karma, nem missão, e muito menos dom. Já expliquei sobre isso e repito, para que não caiamos na vaidade de entendê-la assim.

SAINDO DO LIVRO...

Convido você a apontar seu celular para o QR CODE ou digitar o link no seu navegador e assistir a um vídeo meu complementar a este capítulo.

https://mediumdeterreiro.com.br/livro/capitulo-5

6.
Tipos de faculdades mediúnicas

Foram catalogados por Allan Kardec mais de 140 tipos de mediunidade. Porém, se observarmos cada um deles, percebemos que alguns se fundem e que outros não existem sem um anterior.

Acredito que o entendimento sobre essas variações tão específicas seja de interesse de cada um. Mas existe algo importante a se ressaltar: as faculdades mediúnicas e tipos específicos e pontuais que são diferentes entre si.

Temos as mediunidades mais cotidianas e as mais raras.

Existem casos de pessoas que chegam no terreiro e são tratadas como se estivessem obsediadas ou trazendo com elas algo muito ruim, mas, na verdade, trata-se só de um tipo de mediunidade diferente que está aflorando.

Por isso é muito importante ter o entendimento sobre algumas delas. Vou comentar brevemente a respeito desses tipos de mediunidade das quais é importante ter conhecimento.

INSPIRAÇÃO

Acontece por influência espiritual, a qual pode ser de algum guia que te acompanha, ou mesmo vinda do guia de outra pessoa.

Por exemplo: algo que acontece quase com todo mundo é começar a falar coisas bonitas, com ideias antes pensadas e, de repente, surpreender-se com seus próprios conselhos. Sabe quando você está tentando ajudar alguém e diz coisas realmente importantes, e de uma forma que talvez nunca tivesse pensado? Pois bem, isso é uma manifestação comum de inspiração. É como se as palavras escapassem da sua boca e fluíssem para que aquela mensagem fosse transmitida.

Mas na inspiração ninguém está em transe, nem incorporado. O indivíduo permanece no controle, porém uma vontade, uma força ou um raciocínio flui por meio dele.

Nem sempre é possível identificar de onde a inspiração vem, mas ela acontece constantemente naquilo que você faz com prazer. Um outro exemplo de inspiração está no trabalho. Às vezes, você fica muito tempo batendo cabeça com alguma dificuldade e parece que aquilo não tem solução. Então, você desiste e vai silenciar a mente e, de repente, tem um *insight*, um pensamento muito claro e forte, e logo a solução aparece.

A sensação é que você realmente se superou e que aquele é um aprendizado que lhe renderá frutos. É como se estivesse dado um passo a mais em relação àquilo. Essa "guinada" é um dos exemplos de quando a espiritualidade te inspira a algo.

É no seu trabalho, por exemplo, que se desenvolve o ser racional, intelectual. As inspirações de Mestres da Luz também encontram nessa área um canal de conexão para te orientar.

Quem tem o privilégio de exercer uma função pela qual tem paixão – não importa qual seja – sabe a importância desse pilar em nossa vida.

Esse amparo espiritual normalmente te auxilia a criar coisas incríveis e contribui para o desenvolvimento humano.

A inspiração é uma mediunidade comum em todos os seres e se manifesta mais veementemente quando silenciamos. Mas realço que ela não é uma mediunidade prática. Não é a mediunidade que se exerce a fim de uma comunicação direta entre encarnados e a espiritualidade. Ninguém desenvolve a inspiração ou a intuição para servir a espiritualidade, simplesmente porque não há essa necessidade.

CLARIVIDÊNCIA E VIDÊNCIA

Clarividente é o indivíduo capaz de ver o plano espiritual e enxergar os espíritos com a mesma naturalidade que nós vemos esta realidade. É diferente da clariaudiência, capacidade de ouvir o espírito, com vozes claras, assim como nós nos ouvimos.

Clarividência e vidência são comumente confundidas, mas o que as distingue? Aquele que possui a vidência não enxerga o plano espiritual no momento presente e, sim no passado, ou até mesmo em um outro lugar.

PREMONIÇÃO

A premonição, que mais parece um poder de "X-Men", integra o rol de faculdades mediúnicas mais incomuns. O indivíduo premonitivo consegue ver situações que ainda estão para acontecer. Normalmente, são situações em que outras pessoas correm sério risco de morte. Por isso esta é uma capacidade mediúnica muito delicada, já que as pessoas que as possuem constantemente veem tragédias.

A premonição pode ser uma angústia muito forte acompanhada da imagem do fato como pensamento.

Essa é a oportunidade desse indivíduo interferir no que está prestes a acontecer e alertar a outra parte sobre determinado risco em se fazer um trajeto, por exemplo.

Destaco, então, que a premonição se trata sempre do futuro, e a vidência, por sua vez, é a responsável por assimilar fatos do passado.

A premonição também não deve ser confundida com os oráculos, pois esses envolvem outra dinâmica; no entanto, existem pessoas que canalizam a mediunidade de premonição por meio de ferramentas oraculares, como tarô, jogos de cartas, cristais etc.

Vou explicar algo histórico, mas muito interessante. A premonição é uma das faculdades mediúnicas mais antigas do mundo. É tão importante que chega a ser citada na Bíblia.

Gregos, romanos e egípcios já possuíam templos dedicados às pitonisas, mulheres que eram médiuns premonitórias. Elas eram consideradas o oráculo dessas civilizações.

O grande dilema da vida de Sócrates surge em uma sua consulta com uma pitonisa. Quando ele pergunta sobre quem é o homem mais sábio da Grécia, essa mulher, em transe, responde: "o homem mais sábio de toda Grécia é você, Sócrates".

Nesse momento, ele entrou em uma crise e em um dilema pessoal, negando a veracidade desse fato. Decidiu, então, consultar as pessoas mais influentes daquela época. Esse foi o processo que Platão registrou e se tornou o livro *Apologia de Sócrates*.

Ao fim, Sócrates conseguia "dobrar" todo mundo, reafirmando que a sua visão sobre as coisas é mesmo muito ampla. Essa constatação foi dada primeiro por meio da mediunidade da pitonisa, uma médium premonitória da Grécia. Os generais também eram figuras que recorriam às pitonisas para consultar o que poderia acontecer durante uma guerra.

Esses são alguns exemplos da mediunidade de premonição, que acontecia desde os tempos mais antigos.

Esse tipo de mediunidade acontece espontaneamente, e o indivíduo não tem controle sobre isso. Destaco que a ajuda desse médium à pessoa que está em risco deve ser cuidadosamente observada, avaliada e interpretada, para que o auxílio seja efetivo à outra parte.

A premonição existe porque não acreditamos em um destino em que a história já está escrita e não poderá ser alterada. A utilidade dessa mediunidade é exatamente a de antecipar determinados fatos, para que eles possam ter outros caminhos.

Na prática, ela acontece porque temos uma atmosfera, ou egrégora, em que uma grande teia nos envolve, cordões que ligam as pessoas com quem nos relacionamos com maior frequência e configuram isso a um padrão energético. Tudo isso se aloca no seu campo energético.

O médium premonitório é capaz de fazer a leitura desse campo e criar probabilidades matemáticas para fatos que estão prestes a ocorrer. Ele não vê uma certeza ou um fato que já aconteceu num futuro, mas se conecta, de forma peculiar, ao campo energético da pessoa e, com isso, consegue visualizar esse conjunto de possibilidades como uma imagem. É por essa razão que há riqueza de detalhes quando se narra a "profecia".

Para exemplificar como isso pode ocorrer, vamos supor que uma pessoa vá embarcar em um avião. Quando está prestes a pegar o voo, alguém que não a conhece diz que está prevendo uma tragédia. Aquela aeronave vai cair. Qual terá sido a leitura? O médium consegue ler as teias de conexão que envolvem essa pessoa, e percebe que a revisão do avião não foi feita. Esse cálculo de probabilidades gera, então, um "filme" em sua cabeça.

O premonitivo é aquele que capta todas as informações presentes no campo energético de alguém e, por meio de cálculos, transforma fatos com grandes chances de acontecer em imagens.

O amanhã não está escrito, o amanhã é a soma das probabilidades. Se você muda a forma de ser, os oráculos terão que recalcular a rota do seu destino.

O ORÁCULO

Comentei anteriormente sobre a forma oracular de se canalizar a premonição. Um exemplo de oráculo durante o atendimento é quando a entidade se utiliza de objetos para trazer uma revelação ao consulente.

O oráculo não é somente um anúncio de charlatões, como nós vemos e logo relacionamos ao ouvir a respeito. Ele existe, mas na umbanda é dispensável. Não há nada que o oráculo possa me dizer que não seja revelado por meio do Caboclo, Preto Velho, Exu e as entidades de umbanda. Por isso, o oráculo está, por excelência, na umbanda, por intermédio dos guias. Se estou com alguma dúvida ou dilema, é a eles que consulto.

MEDIUNIDADE NA UMBANDA

Ademais, nossos guias dirão o que é pertinente revelar, e não será em um truque ou em algo para ganhar dinheiro. É na consulta que as coisas se revelam. A mediunidade de terreiro é, por excelência, oracular.

O oráculo é legítimo, e os objetos são fixadores. Porém, não são eles que revelam algo, mas uma vez imantados, auxiliam na concentração do médium oracular, conectando-o com a espiritualidade.

A leitura das probabilidades que é feita por um médium premonitório é algo natural a todas as entidades. Quando chega uma pessoa para conversar com o guia no terreiro, eles já fazem essa leitura, e utilizam-se de objetos oraculares para transferir o que veem e poder orientar o indivíduo por meio dessa prática. Então imantam búzios, cartas, água, para que a pessoa leia e entenda o percurso melhor e possa escolher sobre determinada situação.

Trata-se de uma ajuda espiritual para a leitura das probabilidades. O mesmo acontece na leitura de búzios para a revelação de orixás. Na umbanda, o jogo de búzios é dispensável exatamente por isso, porque já temos as orientações das entidades.

O jogo de búzios é uma modalidade de oráculo africano e, em sua forma original, tida no Culto de Nação, é feito com o caroço do dendê, sem mesmo se utilizar das conchinhas de búzios.

PSICOGRAFIA

No Brasil, esse tipo de mediunidade foi popularizada pelo próprio Chico Xavier. Há informações de que foram escritos mais de quatrocentos livros pela canalização psicográfica do médium.

Há uma situação em que se afirma que ele tenha escrito livros de trás para a frente, e mesmo com as duas mãos, sendo livros diferentes em cada uma delas.

Existe até uma experiência na qual, junto de Waldo Vieira, quando este era espírita e parceiro de Chico, os dois escreveram um livro juntos. Um deles ficava em um cômodo escrevendo o início do livro, e o outro, em outro cômodo, escrevendo o final. Sem se falarem.

Esses acontecimentos existiram em uma época em que o espiritismo se consolidava como um movimento religioso por meio de Chico, e a espiritualidade dava suporte para que fenômenos como esse acontecessem. Era algo excepcional!

Foi por meio de episódios desse tipo que Chico Xavier construiu uma história muito diferenciada. Mas algo que quero destacar aqui é que ele tinha a mediunidade mecânica, dentro do que consideramos a existência da mecânica, semimecânica e a inspirativa.

Explico sobre cada uma delas a seguir.

- *Inspirativa:* é quando o médium se concentra e é inspirado. As ideias surgem como se fossem dele e, então, ele passa a escrevê-las.
- *Semimecânica:* o espírito envolve as mãos do médium, tomando o controle, e transmite, ao mesmo tempo, as informações mentalmente. O médium tem consciência do que é escrito ali.
- *Mecânica:* o médium não tem consciência do que está sendo escrito. É como se alguém pegasse em suas mãos e começasse a escrever. Só se tem conhecimento do que foi escrito depois de concluído. Esse é o tipo de psicografia que oferece menos desgaste possível ao médium, e permite que ele redija centenas de cartas, como Chico Xavier fazia, em apenas uma sessão espírita. Todas as mensagens são vindas do plano espiritual.

Chico Xavier escreveu, ao longo de sua vida, mais de quatrocentos livros e milhares e milhares de cartas de espíritos aos seus familiares.

Além disso, há histórias da capacidade interexistente de Chico. Ele conta que, certa vez, estava num centro espírita fazendo sua sessão de psicografia quando Emmanuel, o espírito que lhe acompanhava, chegou e disse que precisava de Chico em outro lugar. E ele respondeu: "Não posso, estou realizando o trabalho aqui no centro". E Emmanuel explicou que o médium iria em espírito, seu corpo continuaria ali para escrever as cartas.

Chico, nesse momento, fez uma viagem astral a uma espécie de centro espírita no plano espiritual, onde exerceu a mesma função a que estava habituado. Na ocasião, sua missão era psicografar mensagens de uma mãe ao seu filho, ambos desencarnados, mas em realidades vibratórias diferentes. A regra de visualizar apenas quem está na mesma vibração que você também se aplica ao outro plano. Ao retornar, ele viu que já estava se encerrando a sessão e que ele tinha escrito muita coisa.

A psicografia, portanto, é o ato de escrever com a influência dos espíritos por meio de um médium psicógrafo. Entende-se que essa seja a mediunidade base e fundamental do espiritismo, assim como a incorporação é na umbanda.

Para o espiritismo existir e se desenvolver, é preciso que a maior parte dos seus médiuns seja psicógrafos. O que não falta para o espírita é a leitura e, por isso, essa é sua mediunidade principal. No Brasil, como vimos, quem colaborou para o crescimento dessa especificidade foi Chico Xavier.

PICTOGRAFIA

Na mesma "veia" da psicografia, encontramos a pintura mediúnica. Na umbanda, temos um artista muito conhecido, Miguel Fonseca. Ele retrata, em tela, espíritos, mentores e guias que acompanham as pessoas. Fonseca tem uma clarividência cristalina que se une à sua capacidade artística, e, assim, faz pinturas de retratos das entidades, traduzindo muitos detalhes dos espíritos e suas características.

Existem ainda os médiuns de pictografia que fazem autorretratos: o espírito se utiliza das mãos do médium para fazer o seu próprio desenho. Mas, no caso do Miguel Fonseca, ele tem uma habilidade artística que é utilizada pela espiritualidade.

No espiritismo, quem ficou conhecido por esse trabalho foi o médium Luiz Antônio Gasparetto.

Portanto, a pictografia é a capacidade de pintar coisas do plano astral inspiradas pelos espíritos. É uma mediunidade incrível!

XENOGLOSSIA

Muito comum no catolicismo carismático e também nas religiões evangélicas pentecostais é a capacidade mediúnica de falar em línguas. A presença do Espírito Santo nada mais é do que um transe mediúnico pelo qual a pessoa consegue desdobrar sua consciência e falar em línguas desconhecidas, ou até mesmo muito antigas.

Ficou muito conhecido com a noite de Pentecostes – quando também surge o movimento religioso pentecostal – que foi marcada pela descida do Espírito Santo nos discípulos de Jesus, por meio do dom de orar em línguas.

No nosso entendimento, aquilo era, na verdade, a mediunidade da xenoglossia canalizada pelos discípulos.

TRANSPORTE – MATERIALIZAÇÃO

No Brasil, o transporte ficou muito conhecido pelas mãos da Dona Ederlazil. É possível que você já tenha visto em alguma matéria até mesmo na TV. Ela materializa objetos em algodão.

Dona Ederlazil não é espírita, tampouco comunga de qualquer religião que reconheça a mediunidade. Ela é católica. Tudo o que faz é em nome dos santos e de sua fé. Sabe-se que ela foi buscar conhecimento sobre os fatos que ocorrem com ela no espiritismo, mas, mesmo assim, ainda é católica devotada. Ela entende sua capacidade mediúnica como um dom do espírito, e exercita sua prática como uma forma de ajudar as pessoas.

A mediunidade que Ederlazil possui é a de materialização. Ao chegar no campo energético da médium, as pessoas têm revelações por meio de materializações de objetos. Isso acontece com o suporte dos espíritos, e as mensagens nem sempre são claras. Por isso, ela criou uma espécie de "manual" ou cartilha de interpretações. Por exemplo, se do algodão sai um pedaço de osso, o significado é tal coisa.

Na prática, sua materialização acontece da seguinte forma: as pessoas levam um pedaço de algodão e entregam a ela, que o coloca numa peneira. Dona Ederlazil não chega a tocar no algodão, e, então, ele começa a ficar cheio de terra, e assim que ela o move e vai adicionando água, surgem objetos e coisas específicas. Esse é o transporte de materialização. Aquelas coisas saem de uma realidade espiritual e se fixam ali.

São raríssimos os casos de efeito físico, pois cada vez se fazem mais desnecessários, e por isso não são substituídos.

O transporte de materialização no contexto umbandista também já ocorreu muito no passado. Era visto com frequência quando a entidade estava aplicando o passe e, de repente, materializava-se algo em sua mão.

Como já citei por várias vezes, esses tipos de fenômenos acontecem apenas para que as pessoas criassem um vínculo religioso, pelo intermédio do deslumbre, com aquilo que era fantástico e beirava a fantasia.

Hoje, o foco é desvincular-se da dependência desses fatos e caminhar em direção à evolução, por meio de um olhar voltado para si.

TRANSPORTE – ESPIRITUAL

Esta é uma especificidade do médium de incorporação que realiza o transporte. Normalmente, isso acontece quando o médium está em atendimento no terreiro e então surge uma pessoa obsediada. O médium de transporte incorpora esse obsessor para que as entidades possam encaminhá-lo a outra realidade. Portanto, tira-se aquele espírito do campo energético do consulente por meio dessa mediunidade, e ele é trazido à sua, para que, só assim, possa ser encaminhado a outro lugar.

É uma verdadeira limpeza na pessoa, retirando e desamarrando as conexões que liguem ela ao ser, sem prejudicá-la.

Não é todo médium que incorpora que tem a mediunidade de transporte. Há de se tomar muito cuidado com isso. Quem não possui esse traço não deve se aventurar com algo parecido, pois existe o risco de grandes problemas.

SAINDO DO LIVRO...

Convido você a apontar seu celular para o QR CODE ou digitar o link no seu navegador e assistir a um vídeo meu complementar a este capítulo.

https://mediumdeterreiro.com.br/livro/capitulo-6

7.
Incorporação - A mediunidade de terreiro

A incorporação, como expliquei, é a principal mediunidade da umbanda. Afirmo, ainda, que é ela que determina o que é um templo ou uma gira de umbanda. Ao observar uma corrente mediúnica, é natural que, de trinta participantes, 25 sejam incorporantes.

A incorporação é um tema tão importante para o médium de umbanda que vou me dedicar intensivamente a ele nas próximas páginas, e por isso este será um capítulo todo especial. Preparei você até aqui para que suas descobertas sejam muito coerentes.

Saliento, também, que a incorporação é uma faculdade mediúnica múltipla. O que isso quer dizer? Que ela engloba diversos tipos de mediunidade simultaneamente, um "MMA da mediunidade"!

Mas antes de explicá-la, quero deixar uma provocação no que tange à postura do médium no terreiro. Claro, uma provocação para aquele que já é desenvolvido, não ao iniciante. Médium, reflita sobre aquilo que é fantasia e o que é verdade no processo de incorporação. Ao vermos pessoas no ambiente de terreiro se comportando como naquele filme *Ghost*, no qual a pessoa é possuída pelo espírito, constatamos no mínimo uma falta de informação ou simplesmente pura ficção.

—

Incorporação não é possessão!

—

Ninguém é expulso do seu corpo para que a incorporação aconteça, isso é literalmente coisa de filme. É preciso que isso fique claro neste momento, pois ainda hoje vemos o reflexo desse filme em muitos médiuns nos terreiros afora.

Grifo isso como a pessoa que já presenciou a incorporação do cavalo de Ogum. Isso mesmo, o cavalo de São Jorge incorporado. Esse é o tipo de comportamento fantasioso do qual precisamos fugir.

Essa espécie de pensamento é a mesma que explica que as mãos para trás, com os dedos dobrados, do médium que incorpora Exu, são as garras da entidade. Essa é uma visão diabólica ou mesmo vampiresca da entidade, e não faz sentido. Deixo essas considerações para que possamos nos posicionar sobre algumas invenções e deixemos de acreditar na fantasia.

No meu próprio desenvolvimento, houve uma situação em que o médium incorporado de Exu dizia que não podiam passar por suas costas porque, senão iriam pisar no "rabo" do guia. Perceba a ideia fantasiosa que permeia o imaginário social de que Exu é o Diabo europeu.

Ao leigo que não tem uma base sólida de fundamentos e conhecimentos, todas essas atitudes discrepantes passam a soar como verdade. Essa é a importância do estudo e da investigação sobre sua religião e seus fenômenos.

MULTIPLICIDADE MEDIÚNICA

Imagine a cena:

RODRIGO QUEIROZ

O ano é 1908, é meio de uma tarde de sábado, está iniciando-se mais uma sessão espírita, como de costume naquele centro. Chega, então, uma mãe e seu filho de dezessete anos, com o histórico de mudanças repentinas de comportamento e personalidades desconhecidas. O jovem é convidado a se juntar ao grupo de médiuns no entorno da mesa, e após as orações e leituras dá-se início às manifestações espirituais, nas quais, surpreendentemente, os médiuns começam a manifestar espíritos de ex-escravizados. Imediatamente, esses espíritos são convidados a se retirar, e então o jovem é tomado pela incorporação de um índio, que se levanta e, em forte tom, afronta o dirigente da sessão questionando: "Por que esses espíritos simples não podem se manifestar? Apesar de terem sido escravizados, trazem grandes lições para humanidade".

Esse médium era o ainda jovem Zélio de Moraes, incorporado pelo Caboclo das Sete Encruzilhadas, que daria início à umbanda como a conhecemos nos tempos atuais!

O ponto importante aqui é observar a força pujante da incorporação como marco desta religião.

A incorporação, como se dá na umbanda, não é a conhecida no ambiente do espiritismo, ou mesmo em alguns aspectos no candomblé.

É diferente do que acontece no transe de orixá no candomblé. Ao iniciar-se na religião, a pessoa é recolhida e passa um tempo aprendendo coisas sobre sua crença. Ao sair desse recolhimento, é apresentada ao orixá e, então, incorpora e dá vida, assim, ao *ballet*, a dança característica dos orixás no candomblé.

Esse é o momento que o médium está em transe, é diferente da incorporação de entidade na umbanda, mas, para nós, ainda assim, é uma mediunidade. São fenômenos mediúnicos diferentes, mas quem olha de fora acredita ser o mesmo tipo de manifestação.

No transe, o indivíduo não está mais em si, não tem controle sobre a maioria das coisas. Pode estar presente conscientemente, mas obedece ao comando de outra consciência. Ele se encontra num estado alterado de consciência que vou chamar de estado mediúnico de consciência. Esse é o termo que utilizo para trazer a compreensão sobre o que é estar incorporado de "algo".

MEDIUNIDADE NA UMBANDA

A incorporação é uma multiplicidade mediúnica. A pessoa que está incorporada apresenta vários tipos de mediunidades ao mesmo tempo só para que a incorporação aconteça.

A entidade fala por meio do médium, então já temos a psicofonia. O espírito envolve os movimentos do corpo daquela pessoa, o que é a mesma "mecânica" da psicografia, só que com o corpo todo. A clarividência pode acontecer durante a incorporação e, ainda, a premonição. Como já citei, é muito comum a entidade olhar para o consulente e ler todas as probabilidades futuras da vida daquela pessoa. Esse é um dos motivos pelo qual as entidades são consultadas.

Além do passe, na umbanda, você tem a oportunidade de conversar com esse Mestre Espiritual e saber coisas sobre sua vida as quais, às vezes, não consegue se ater. Se essa entidade julgar necessário, provavelmente vai te alertar sobre algo de que precisa saber. Mas o guia não vai te analisar como faz um terapeuta, muito provavelmente te alertará sobre situações e te incentivará a pensar por si só sobre aquilo. Apenas isso.

A incorporação como a capacidade mediúnica da multiplicidade desdobra-se em vários tipos de mediunidade e, ainda, proporciona o transe. Sem nenhum entorpecente ou enteógeno, o indivíduo entra no *flow* do transe mediúnico.

Ao desenvolver a mediunidade, as incorporações vão ficando cada vez mais controladas, e, então, basta se concentrar nas entidades que te amparam que o transe acontece. Sem muitos artifícios estimuladores.

MECANISMOS DE INCORPORAÇÃO NA UMBANDA

As considerações que faço nessa primeira parte são, ainda, sobre a incorporação das entidades de umbanda, e não sobre a manifestação dos orixás.

Um ponto importante a se evocar é o da mudança da frequência vibratória que se tem no ambiente de terreiro. Absolutamente tudo influencia na aura energética do templo.

O som dos atabaques, as palmas, a defumação, as velas; quando não há nada disso, ao menos a reza já é possível notar. Essas são formas de sutilizar ou ajustar cargas emocionais e psíquicas que o indivíduo carrega, e entrar em conexão com o que é o propósito naquele momento.

Muitas vezes, chegamos no terreiro carregados de preocupações, pensamentos que nos sobrepõem e milhares de coisas que nos impedem, durante a rotina, de entrar em conexão com uma consciência superior. Essa consciência não é nada externo. É algo que todo mundo tem em si, mas não consegue acessar.

Por isso todos os rituais do início da gira são, de fato, um convite ao momento presente. Cria-se uma atmosfera propícia para que você se conecte com o que acontece naquele momento e naquele lugar. Ao entrar no terreiro, vivemos, por algumas horas, em um mundo paralelo, e talvez esse seja o grande ensinamento da umbanda: viva o agora.

Se pudéssemos nos sentir como quando estamos na gira a todo momento, com certeza seríamos pessoas mais felizes. Por isso, a umbanda ensina: silencie, viva o presente e conecte-se com aquilo que há de maior em você.

A proposta de todas as etapas do ritual de umbanda é nos elevar a vibrações positivas, possibilitando, assim, o transe. O indivíduo permanecerá nesse transe por, em média, duas horas. Sendo assim, toda a preparação é mais do que necessária.

Com o ambiente já pronto, inicia-se a gira, e logo toca-se o ponto de chamada de uma linha de trabalho. No plano espiritual, isso aciona um gatilho, e então encarnados e desencarnados sabem que é hora de se conectarem.

Em seguida, a entidade começa a adentrar o campo magnético do médium. Esse processo faz com que a pessoa sinta alguns sintomas no corpo físico. Sua sensibilidade é totalmente tomada por essa presença e, por esse motivo, surgem sensações como taquicardia, arrepios e vibrações no corpo. Isso é sentir a chegada do guia. À medida que o médium se concentra, mais ainda a entidade vai envolvendo o seu campo magnético com o dela.

Esse processo dura alguns minutos e, então, a entidade envolve o campo magnético do médium homogeneamente, sobrepondo sua energia à dele. Nesse momento, o médium está em transe.

É comum que sinta uma tontura, já não ouça e nem veja claramente as pessoas ao seu redor. No entanto, o som do atabaque é sempre muito nítido.

Essa é a hora em que, como sempre explico, o médium precisa começar a "entregar-se". Concentrar-se o máximo possível para anular seus pensamentos, abrandar suas emoções e deixar vir uma neutralidade que permita à entidade fazer a conexão.

Depois dessa aproximação, o guia projeta cordões que saem dos seus chakras para os chakras do médium, normalmente conectando-se ao frontal, laríngeo, cardíaco e gástrico.

Esses cordões são o que diferem a incorporação de umbanda de qualquer outro transe mediúnico. Na maioria das vezes, ocorre um solavanco ao incorporar, e, logo em seguida, a entidade começa a manifestar gestos e sons arquetípicos. Esse "tranco" é resultado da conexão entre vórtices de força da entidade aos centros nervosos do médium.

Essa dinâmica não acontece no ambiente espírita, no qual há uma aproximação, ou um "abraço inspirativo", que é algo muito mais sutil.

O último chakra a se conectar é o frontal, porque é por meio dele que o guia obtém o controle sobre os pensamentos e, portanto, sobre como ele quer falar ou o que deseja fazer.

É nesse momento que médium e entidade se tornam um e começam a desenvolver um trabalho espiritual inexplicável.

Uma vez acoplado à consciência do médium, o transe se estabelece, e o indivíduo reproduz o que a entidade está intencionando. Por isso não há possessão: seu espírito continua em você, mas se une a outra presença.

É nessa experiência que temos a corporeidade da mística de terreiro. Médium e entidade se fazem um, e o resultado deste cruzo é uma terceira *persona*. Nem o médium é ele ali nem a entidade é completamente ela. A expressão simbólica mais "bonitinha" para esse fenômeno foi usada por Pai Fernando Guimarães, fundador do Terreiro do Pai Maneco, em Curitiba-PR. Ele dizia que o ato de incorporar é como o café com leite: nessa mistura não tem mais o café nem o leite em sua pureza, o resultado é uma outra bebida, também genuína.

O médium incorporado começa a desenvolver consciência da identidade das entidades através do movimento, dos gestos, do sotaque, do timbre de voz, dos elementos que manipulam, dos apetrechos e paramentos etc. Esse é, portanto, o mecanismo de incorporação explicado!

Ao desincorporar, aciona-se um comando, seja ele o ponto de subida ou o toque de algum instrumento. O tranco volta a acontecer, porque o guia está desconectando seus chakras, e isso também ajuda a levar as energias daquela entidade, que, embora seja muito positiva, ainda é estranha à nossa estrutura.

O médium, nesse momento, está reenergizado. Independentemente do trabalho, o normal é que esse indivíduo esteja se sentindo bem. No máximo, é acometido de um cansaço físico por fazer muitos movimentos no decorrer da gira. Mas, ainda assim, sente-se emocionalmente, psicologicamente e energicamente muito bem.

É como se estivesse pronto para enfrentar tudo o que está fora do ambiente de terreiro novamente. O guia fez o seu trabalho e, então, recolhe-se e volta para a realidade de onde saiu.

INCORPORAÇÃO DE ORIXÁ

Os orixás que se manifestam incorporando no terreiro não são as divindades maiores que cultuamos e, sim, seres encantados de outras dimensões, que possuem uma energia específica. Cada um deles é saturado pelo magnetismo de um dos orixás.

Quando uma pessoa incorpora Ogum no terreiro, é o transe que acontece por meio da irradiação energética desse Ser sobre o médium. Esses encantados têm um magnetismo puro e intenso, por isso, também, possuem uma consciência muito superior à nossa.

Ao entrarem em contato conosco por intermédio dessas irradiações, possibilitam o transe de forma muito rápida e intensa. Envolvem o médium com seu magnetismo, mas não se conectam por meio de cordões, como acontece na incorporação dos guias.

Tecnicamente, esses encantados entram no campo magnético do médium, o envolvem por inteiro e deixam esse campo completamente embebido das vibrações e energias que ele manifesta. Isso é tão potente que leva o médium ao transe por indução, e não por incorporação.

A consciência do orixá manifestado conduz mecanicamente o médium, e, então, inicia-se a dança dos orixás, algo que parece mágica pela intensidade e força com que acontece. Altera-se instantaneamente, naquele momento, todo o padrão energético do ambiente, e a energia ali é tão pura que o transe acontece sem que haja a conexão por meio dos chakras.

O fluxo de comandos e controle desse transe é tão ativo que o médium sente que não pensa; é um êxtase, só se sentem os movimentos. Nenhum sentimento se instala ali, nenhum pensamento passa por ali, tudo é fluxo, uma verdadeira suspensão da realidade. Mágico!

Esse ser divino se manifesta por meio de sons, gestos e dança ritual, mas não se comunica por meio de palavras, assim, sua presença não dura muito, e em poucos minutos ele retorna para sua realidade.

Assim é a manifestação que se dá por meio do transe de orixá na umbanda.

NÍVEIS DE CONSCIÊNCIA NA INCORPORAÇÃO

O assunto desse tópico, com toda a certeza, é uma das maiores angústias do médium de incorporação. Certamente é uma inquietação mais frequente nos iniciantes na umbanda. Mas não quer dizer que você, médium de longa data, também não sofra com a dúvida: *qual é o nível de consciência quando estou incorporado?* A clássica pergunta que ecoa na mente: *sou eu ou é o guia?*

Refiro-me a essas características das "fases do médium" como níveis de consciência na incorporação, porque vivemos tais experiências assim como crianças na escola.

A grande parte dos médiuns é consciente, ou seja, sabe de tudo o que acontece ao seu redor. No início, essa consciência é ainda mais perceptível. Por isso, é possível que a pessoa não consiga nem mesmo abrir os olhos, pois qualquer mínima distração já rompe as conexões com o guia.

O que pretendo explicar é que, independentemente do nível de consciência, o fato que mais importa é a concentração e a entrega do médium na qualidade da comunicação.

O nível de consciência do médium está diretamente ligado a essa concentração e seu mergulho no processo.

A partir do momento que há a incorporação, independentemente do nível em que ela esteja, o que mais importa é que está acontecendo o *estado alterado de consciência*. Entendemos, com isso, que o médium já age e pensa junto de outra mente, e por isso não está mais sozinho, não é mais apenas ele ali. Portanto, é uma alteração da consciência, que podemos classificar como semiconsciência.

Como é estar no Estado de Consciência?

Para muitos, a sensação é muito parecida com um leve estado de embriaguez, quando se sente uma leve tontura, pensamentos um pouco embaralhados, e não se pensa muito no que está sendo falado. As palavras simplesmente fluem, as travas e certos pudores são desarmados.

Outro ponto que gosto de abordar é sobre a lembrança do que foi feito durante o atendimento.

Por que o médium se lembra das coisas embaralhadas?

O fluxo de informação que é processado pela mente do médium vem da entidade. Só que esse "pensar" é muito mais rápido e tem muito mais informação do que nós conseguimos processar na memória consciente de curto prazo. Não dá tempo de arquivar tudo isso.

É comum, portanto, que um médium que tenha atendido dez pessoas na gira, com assuntos, questões e dilemas pessoais diferentes, não se lembre de muita coisa.

Não é preciso que se preocupe em absorver tudo isso. A única necessidade é a concentração na entidade, e a permissão para que ela faça o trabalho.

Esse fluxo contínuo e intenso de informação vinda da consciência do guia explica o motivo do médium não lembrar nem ver com nitidez aquele momento.

Uma boa dica que levo em consideração é que, quando absorvemos algo do atendimento com muita nitidez, é porque aquela mensagem nos serviu. Aquele momento, portanto, era a entidade falando com o próprio médium. Aproveite, porque esse aconselhamento é para você também!

É muito importante esclarecer esses detalhes do atendimento, porque nada do que é tratado em uma consulta é de interesse do médium, tampouco deve ser de uma terceira pessoa.

Isso é imprescindível de se saber. Nada que se diz em uma consulta deve sair dali. Essa é a regra do silêncio e é o juramento do médium umbandista. É um preceito da umbanda. Se no terreiro em que se desenvolvem médiuns esse juramento não é ritualizado, que todos tenham ciência de que essa é a regra de ouro da prática mediúnica de incorporação no atendimento. Sigilo absoluto sempre!

—

Tudo o que se diz em uma gira de umbanda se torna segredo sagrado.

—

MEDIUNIDADE NA UMBANDA

O médium também não deve levar consigo nenhum problema. Ele está ali para exercitar a sua fé, esta é a sua religião. Não está no terreiro para ouvir o problema do outro ou para se preocupar com isso. Quem trata de todas essas questões é a entidade. Se a entidade desincorporou, acaba ali a conexão do médium com o possível dilema do consulente.

Ao desincorporar, o médium sente um embaralhamento de informações, não consegue distinguir qual história era de tal pessoa. Tudo isso é proposital, porque, novamente, ele não precisa levar para casa tais conhecimentos.

A incorporação é a mediunidade típica da umbanda. É por meio dela que a religião existe, acontece, se manifesta e se desdobra. Não há terreiro de umbanda sem incorporação, e, portanto, não há umbanda sem nossos médiuns.

Talvez você esteja se perguntando: *Oras, mas no meu caso eu me lembro de muitos detalhes, existe algo de errado comigo?!*

Não se trata de algo errado, o que narrei acima é o cenário ideal de quem já está amadurecido e consistentemente ativo no exercício mediúnico.

O amadurecimento da incorporação é um processo que ocorre degrau a degrau, sem atalhos, e de forma muito individual, com nuances bem particulares de pessoa para pessoa. Eu explico melhor isso mais adiante, no capítulo sobre o desenvolvimento mediúnico. Agora, te convido a entrar no link a seguir para assistir a uma animação gráfica que explica a incorporação!

SAINDO DO LIVRO...

Convido você a apontar seu celular para o QR CODE ou digitar o link no seu navegador e assistir a um vídeo complementar a este capítulo.

https://mediumdeterreiro.com.br/livro/capitulo-7

8.

Particularidades da mediunidade de terreiro

O mediunismo de terreiro, como já comentei, permite que possamos interagir com várias capacidades mediúnicas. Essa interação acontece como uma parceria, é, de fato, um encontro, e não um choque.

A mediunidade é neutra, não é boa nem ruim, mas isso não quer dizer que ela seja universal. O que defendo é que existe uma particularidade, que se confirma pela ancestralidade do indivíduo, e isso define o tipo de mediunidade que ele desenvolverá neste plano. A forma como ele vai desenvolver é uma escolha dele. Se existe nessa pessoa um mediunismo de terreiro e ela resolver enveredar por um caminho de maldade, a forma como isso acontecerá estará na vibração da sua mediunidade.

Trabalhar sua capacidade mediúnica para algo positivo ou negativo é uma escolha, a forma como ela acontece é sempre a da sua especificidade. Se um médium psicógrafo

MEDIUNIDADE NA UMBANDA

decide negativar sua mediunidade, é possível que ele explore isso para ganhar dinheiro e manipular por meio dessa capacidade. Entende?

Espero que, cada vez mais, usemos o termo mediunidade de terreiro. É ele que vai trazer autenticidade e nos diferenciar do discurso de que toda e qualquer manifestação espiritual é universal. Esse é o nosso reconhecimento enquanto religião. Dissemine essa ideia e também use o conceito ao conversar com alguém sobre este assunto.

VIBRAÇÕES

Começo, neste ponto, a afunilar os fundamentos sobre como se dá, de forma prática e cotidiana, a mediunidade de terreiro. Vou explicar dando o exemplo da dinâmica de uma gira habitual.

Vamos supor que alguém esteja incorporado, realizando o atendimento com a linha dos Caboclos. Essa é uma vibração altíssima, positiva e intensa.

A gira começa com todos os ritos iniciais – defumação, oração e cantos são feitos a fim de elevar a vibração do ambiente. Todos os médiuns estão preparados e com a energia em uma vibração positiva.

Chegam os Caboclos, o médium sente toda aquela energia intensa e, então, começa a atender. A primeira pessoa que chega é alguém "magiado", ou demandado. Para quem não sabe, esse é o termo que usamos para dizer que alguém recebeu uma magia negativa de uma outra pessoa.

O Caboclo logo sente ali uma energia extremamente densa, pesada e nefasta. Constata-se então: é demanda. É muito comum que a entidade opte por fazer um transporte. Para isso, o Caboclo sai do campo energético do médium para que aquele espírito perturbado possa se manifestar.

Por que ele faz isso? Muitas vezes, o espírito negativado não consegue ter compreensão da realidade ao seu redor. Seria mais fácil aprisioná-lo e tirá-lo da pessoa. Mas as entidades fazem o transporte para que, naquele momento, o espírito tenha contato com o magnetismo humano encarnado. Estamos em outra frequência vibratória, e sentir isso faz com que seus sensores se abram. O obsessor pode começar a ouvir, ver, e sua consciência é, por alguns minutos, restabelecida. A entidade normalmente fala com o espírito, recolhe-o e leva-o para outra realidade, onde será encaminhado para um lugar adequado. Essa é uma das chances de redenção desse espírito, se este assim o quiser.

O médium que estava em uma vibração, por exemplo, dez positivo, vai para quatro negativo ao incorporar o espírito demandador. Ele sente-se como aquele espírito perturbado e tem uma "queda brusca" em sua vibração.

Esse é o atendimento número um da gira. E, então, chega um segundo consulente. Ele está muito doente e adoeceu espiritualmente, em decorrência de uma magia, ou simplesmente por um padrão de comportamento autodestrutivo.

O Caboclo inicia o trabalho, aplica o passe e passa a limpar o perispírito. Até que decide que é hora de trazer uma carga intensa de vibração de cura e, com isso, sai do campo magnético do médium para que o orixá Obaluayê possa se manifestar.

O orixá chega, faz a dança ritual, trabalha a energia que está ali, deixa a vibração de cura e se recolhe. O médium, então, salta do nível vibratório dez, que é a incorporação de um espírito humano, e vai para o vinte, que é a de um encantado, um orixá.

O Caboclo retorna e, logo em seguida, começa o terceiro atendimento da gira. O consulente que chega agora está sob forte influência trevosa. Realizaram um trabalho com magia fixa e clone vibratório para arruinar a sua vida. O Caboclo resolve abrir um ponto riscado. Essa magia mistura muitas vibrações. Ao pôr a pessoa dentro do ponto no chão, ainda continua desenhando outros símbolos com a pemba. A magia riscada permite que o indivíduo adentre outras realidades e dimensões, por meio desse portal em forma de desenhos.

O Caboclo consegue, então, por essa dinâmica, chegar até onde a magia negativa foi firmada para aquela pessoa. Ao localizar, quebra essa demanda e corta os efeitos negativos que atingem o consulente.

O médium novamente foi exposto a diversas frequências vibratórias. A gira segue e, durante todo o tempo em que ela acontece, o médium está vivendo essas diferentes vibrações. Não é todo médium que suporta tamanhas variações. Mas o médium de umbanda, ao chegar no final dos trabalhos, é "reorganizado" pelo Caboclo. Sua estrutura, que já é própria para isso, consegue se reequilibrar.

MEDIUNIDADE NA UMBANDA

Ele foi o meio para que o Caboclo pudesse combater todo o tipo de atuação negativa empregada, e o máximo que sente ao final da gira é um cansaço físico. Isso é totalmente normal, até porque não existe milagre, o médium está, afinal, movimentando-se constantemente. Por isso, é de extrema importância que o médium umbandista seja alguém ativo fisicamente. O sedentarismo definitivamente não colabora com a incorporação.

Você pode estar se perguntando agora: *mas isso não acontece numa sessão espírita?* Normalmente não, essas situações chegam aos terreiros. Mas mesmo que cheguem ao centro espírita, normalmente são encaminhadas para a umbanda.

A variação vibratória descrita não é algo comum à característica da mediunidade espírita. O local certo de se "tratar" demandas é mesmo o terreiro. A magia e o combate aos espíritos sofredores são um dos pilares da umbanda.

É por isso, inclusive, que os médiuns de terreiro são os mais preparados e aptos para lidar com esse tipo de situação. Sua composição magnética possui uma blindagem específica para isso.

Não há choques energéticos com o médium que vivenciou o que descrevi, ele não sofre com as variações vibratórias. Isso é o mediunismo de terreiro em plena atividade.

TRÂNSITO DE REALIDADES

Este é um assunto muito interessante, e é também uma particularidade do trabalho magístico que se tem durante a gira de umbanda.

Quem tem o conhecimento prévio do que é a Magia, ou o que são os Símbolos Sagrados da Escrita Mágica, sabe que todos os desenhos e formas que são feitos durante o atendimento pelas entidades, são, na verdade, chaves de acesso para outras realidades, ou até mesmo ondas vibratórias, energéticas e magnéticas específicas.

A entidade, portanto, risca um traço no chão, e este é o cordão que ligará diretamente a uma dimensão pura de um orixá. Esse desenho também pode ligar-se a uma corrente eletromagnética de um orixá, ao mesmo tempo que se combina com a chave do reino elemental, trazendo outro tipo de atuação mágica.

Aquele "espaço mágico" é um portal, onde existe um *mix* de influências destinado ao trabalho que se realiza naquele momento.

Tudo isso flui pelo campo mediúnico do médium, passa por ele, e é comum, por exemplo, no atendimento de Exu, serem evocados os elementais para um trabalho específico.

Em uma quebra de magia negativa, é comum a entidade fazer a evocação de seres elementais. Sem sair do lugar físico, acontece, então, o trânsito de uma realidade humana ao reino elemental. O fluxo de toda essa energia passa pelo médium.

Também é possível, por meio dos pontos riscados, acessar outras dimensões. Sair desta dimensão e ir para uma encantada, mista, bipolar, e trazer a atuação dela para cá.

Assim, quando um Caboclo evoca a presença de Ogum, ou de outro orixá, que vem de uma realidade específica, é porque é necessária a interação com o magnetismo que vem de outra configuração energética e reestrutura as energias da pessoa ou do local.

Isso é o que chamamos de trânsito entre reinos, dimensões e realidades. O médium de projeção pode fazer isso conscientemente. Seu espírito deixa o corpo e vai para outras realidades.

Mas, mesmo quando é esse caso, do mesmo modo, todas as energias ainda fluem pelo médium. O médium é sempre o portal. É o mediador entre o ponto no aqui e no agora com tudo aquilo que se evoca e invoca sob a intenção de manipular.

Esqueça o corpo físico mediúnico e visualize isso como um portal por onde as energias fluem e obedecem aos comandos que lhe são dados. É por isso também que existe aquela máxima: "de tudo que o médium em exercício da sua mediunidade ativa e desdobra em função de algo, fica uma parcela a ele".

Logo, aquele que gosta de atividades nocivas garante uma parcela disso em sua vida. Para quem faz o bem, acontece o mesmo, o que resta em sua alma é tudo aquilo ao que se dedicou.

Ouvi muita gente dizer que o médium é o último a ser atendido, e que só é ajudado no final da vida. Que tristeza isso. Não jogue suas frustrações no trabalho mediúnico, isso não é uma verdade.

Todo esse trânsito de energias mostra o quanto o médium é gratificado e recebe, também em si, todo o bálsamo curativo do trabalho, normalmente sem nem mesmo perceber. Não há perda energética e nenhuma descompensação, isso flui naturalmente e percorre a estrutura do médium.

AGENTE ATUANTE

O médium, de forma alguma, é apenas o aparelho mediúnico que se liga à tomada para funcionar e, a partir daí, é feito o que se quiser com ele.

Definitivamente não. Mircea Eliade, em *O sentido da religião*, diz que o médium é o cavalo selvagem que precisa ser domado. Temos consciência, sentimentos, racionalidade, e é justamente isso que exerce influência durante a manifestação dos espíritos. Portanto, não somos aparelhos.

Esse é o gatilho da nossa reflexão neste ponto: quem é o médium durante o trabalho?

Neste plano físico, vivemos outro tempo da mediunidade. A espiritualidade diz que é, de fato, uma nova era. Nas últimas décadas, houve uma mudança total do perfil dos médiuns reencarnantes, e estes já trazem uma mediunidade mais consciente. São indivíduos que sabem mais sobre o seu papel no exercício mediúnico, no mundo espiritual e no mundo terreno. Têm consciência sobre as relações que se encontram aqui.

As novas gerações realmente têm um preparo psíquico e emocional diferente. Podemos até arriscar a dizer que melhor. Existe o interesse pelo entendimento daquilo que é diferente e que traz mais sentido. São mais críticos diante da escuridão da ignorância e daquilo que não é explicado.

Vivemos um novo tempo, no qual a busca pelo autoconhecimento, pelo preparo mediúnico e pelos estudos da mediunidade estão cada vez mais naturais e impulsionadas.

Esse é o ponto em que cada vez mais pessoas reconhecem que há uma parceria entre elas e a espiritualidade. Eis é a ideia: mediunidade de parceria. O médium é ativo antes, durante e depois do exercício mediúnico.

A manifestação espiritual não é a protagonista, não é o ato principal, mas é o ponto ápice da comunhão com a espiritualidade.

Médiuns, cada vez mais, entendem que a umbanda e a sua fé não se resumem à manifestação do espírito ou ao transe. O médium parceiro é aquele que sabe o seu papel e entende que, quanto mais busca e se prepara, mais tem a oferecer. Ele está, então, apto a auxiliar e a se permitir.

Quando exponho isso, não estou afirmando que quem sabe mais ou estuda mais, trabalha melhor. Não é isso. Mas o fato é que saber mais determina o tipo de trabalho, e não, necessariamente, a qualidade.

O que quero deixar claro é que uma pessoa que não frequentou a escola, ou que pouco sabe sobre esses estudos, não vai deixar de desenvolver um trabalho mediúnico legítimo, benéfico e poderoso. Afinal, o que manda nesse sentido é o coração, a entrega, e o amor depositados ali.

Existirão algumas coisas que não farão parte do trabalho, por falta de conhecimento, como a montagem de um assentamento mais robusto para esquerda. Isso não é necessário, apenas um tridente riscado no chão e uma vela em cima já bastam.

Saber mais não te faz melhor do que o outro, mas te possibilita atuar de formas diferentes. A espiritualidade te abre um leque de possibilidades, pois sabe que ali há o interesse em saber mais, ou, podemos dizer, em se "capacitar".

É possível, portanto, ampliar cada vez mais a forma como se trabalha, mas isso também implica em uma maior responsabilidade.

A espiritualidade não cobra daquele o que não tem o que oferecer, assim como não propõe ao indivíduo algo que ele não tenha condições de realizar.

Cabe ao médium, durante o processo, escolher como quer viver essas possibilidades. É preciso que se entenda que o médium é parceiro, é "sócio" dos guias, porque dividem o trabalho espiritual.

A ideia de que tudo precisa ser validado com o guia, por exemplo, cai por terra com essa explicação. O médium, indivíduo encarnado, é responsável pelo que for feito durante o atendimento. Se existir um assédio durante o atendimento, não adianta dizer a loucura de que foi o guia. Isso não tem o menor cabimento.

Obviamente, isso não acontece em um terreiro em que se vive realmente a umbanda e o que ela traz como valor. Mas existe, isso existe. Incorporar, fazer coisas absurdas e depois colocá-las na conta das entidades.

O guia só precisa ficar com os créditos daquilo que for o melhor, o que for ruim é responsabilidade do médium. Isso é muito sério!

Juridicamente, o espírito não existe, não há protetiva legal para a incorporação, especificamente. Sendo assim, tenha muito cuidado com a fantasia, os exageros e as extravagâncias anômalas, porque, perante a lei, quem responde é o indivíduo, e não a entidade. Felizmente, na atualidade, já existem muitas pessoas sendo presas por condutas criminosas disfarçadas de transe mediúnico. Quanto mais as pessoas conhecerem sobre o assunto, muitos ainda serão conduzidos a responder por seus crimes na justiça.

SAINDO DO LIVRO...

Convido você a apontar seu celular para o QR CODE ou digitar o link no seu navegador e assistir a um vídeo meu complementar a este capítulo.

https://mediumdeterreiro.com.br/livro/capitulo-8

9.

Desenvolvimento mediúnico

POR QUÊ?

Este é o capítulo que talvez você, caro leitor, tenha esperado ansiosamente para chegar. Começo, antes de tudo, esclarecendo que a mediunidade não se ganha, herda ou aprende. Como já dito, a mediunidade é um sentido, algo que todos temos, em maior ou menor grau; no entanto, as especificidades e tipos já nascem com o indivíduo. Ou seja, não podem ser conquistadas somente pelo desejo.

Possuir mediunidade de incorporação não é um merecimento, tampouco existe um passo a passo de como desenvolvê-la se a pessoa não a tiver. Essa é uma característica natural de alguns.

Com isso, também entendemos que não há como alguém "dotar" uma outra pessoa de determinada mediunidade. Isso não existe!

Além disso, a mediunidade aflorada nesta encarnação não significa nível de evolução espiritual. Se a mediunidade fosse conquista, todo médium seria bom e não teríamos problemas.

Mas não é isso que acontece. Existem muitos médiuns que fazem coisas ruins e agem de má-fé. Com isso, entramos até mesmo em um dilema existencial, no qual nos questionamos sobre o porquê de indivíduos não evoluídos serem dotados de mediunidade prática. Como o caso do João de Deus, entre tantos outros menos populares.

A mediunidade não é boa nem má, como já expliquei, no entanto, existe algo implícito nela, que é a sua conexão com as religiões. Cada pessoa nasce com a mediunidade prática; ela descende de sua ancestralidade, pertencendo a determinado lastro em campo evolutivo religioso no plano terreno.

Considerando que o propósito da religião é ser algo positivo e que encoraje nossas virtudes, a mediunidade tem como objetivo servir como desenvolvimento na vida do ser humano.

Na maioria das vezes este é o sentido da mediunidade na vida do espírito: servir como canal de autoconhecimento, iluminação e transcendência ao exercício do bem.

Por isso, também, surge a ideia de que a mediunidade seja algo pertencente aos espíritos evoluídos e às pessoas boas. Contudo, todos estão sujeitos a se desvirtuarem e servirem a trabalhos escusos, visto que ela é um sentido sensorial, e não determina nada sobre a vida do indivíduo que a possui.

Independentemente de qualquer coisa, ela sempre será uma oportunidade de consciência. Nós, médiuns, temos a incrível oportunidade de sentir Deus em nossas entranhas, e isso nos mostra pelo menos uma coisa: há algo além da matéria.

Existem coisas que a ciência não considera, mas que vão ao encontro do que já se descobriu até hoje sobre vida e origem.

A mediunidade na umbanda, quando exercida em sua plenitude, nos educa e reforça a ideia de que o amanhã é o resultado de hoje. Somos tomados pela consciência de que é preciso sempre remar em direção ao que há de melhor em nós e nos outros, porque tais ações serão nosso passado, presente e futuro.

Com todas as dificuldades, hoje, me esforçarei para fazer o melhor. Esta é a ideia embutida em se ter mediunidade.

Desdobrando a consciência do ser espiritual e emocional, interagimos por meio dela com consciências cósmicas e astrais, e tudo isso conta como aprendizado único. Esta é uma vivência ímpar e impossível de ser vivida em outro cenário. É o amadurecimento do ser médium. Claro, quando a pessoa já não está mais apegada a fantasias e o exercício da sua mediunidade é consciente.

Chegar a esse ponto é o ápice existencial em nossas vidas: ter a sabedoria de que a mediunidade está em nós e que é sagrada. É, de fato, o sagrado em nós. Aquilo que devemos tratar como o mais nobre dos sentidos.

Por meio dela, também, conseguimos ver o que existe dentro de nós. Se ela é a via de espíritos perturbados, devemos entender que esse é um reflexo de como as coisas estão no nosso íntimo.

A não ser que você seja um médium socorrista, a manifestação constante de espíritos sofredores é algo profundamente nocivo, e que mostra aquilo que o indivíduo alimenta dentro de si: comportamentos, padrões vibratórios, emoções, tudo o que convida essas companhias para junto dele.

Na realidade energética humana, nós atraímos nossos iguais. Isso se aplica também aos nossos relacionamentos espirituais e os deste plano. Tudo o que temos ao redor é atraído pelo que somos.

Desenvolver a mediunidade deve ser uma decisão consciente, clara e responsável. Não pode ser uma tentativa de ser aceito socialmente, de chamar a atenção ou de descobrir sobre a vida do outro. Muito menos de achar que é uma forma de caridade. Se você quer se desenvolver para ajudar pessoas e nem mesmo ajuda a si mesmo, pare. Primeiro, cuide-se. Cure-se.

O objetivo desta caminhada deve estar relacionado ao desenvolvimento humano e espiritual, em seus âmbitos emocionais, mentais, espirituais e materiais.

MÉTODOS E EFICIÊNCIA

Há muita polêmica envolvendo os métodos usados pelos sacerdotes mais antigos. São formas de desenvolvimento que começaram a ser questionadas e modificadas ao longo dos anos.

Tais mudanças obviamente aconteceram a partir de novos médiuns e sacerdotes livres em suas reflexões, os quais, no exercício de um senso crítico, começaram a se preocupar com o avanço dos métodos e não seguiram repetindo a mesma coisa, de geração a geração.

A umbanda EAD, primeira plataforma de ensino on-line da religião, é a materialização dessa nova onda de umbandistas que, desde o fim do século 20, prezam pelo desenvolvimento atrelado ao estudo. Este realmente é um perfil daquele que é curioso e envolvido com a religião.

Inclusive, no ano de 2020, quando a pandemia de coronavírus paralisou as atividades dos terreiros, foi apresentada uma forma inédita, um método seguro de praticar, viver e desenvolver a mediunidade de terreiro em casa. Isso tem se tornado cada vez mais uma constância, dado o grande número de pessoas que acabam se decepcionando e se frustrando com terreiros mundo afora, que não querem ou não encontram terreiros com os quais criem afinidade, mas também não querem deixar de ter uma rotina ritual com sua religião e com as entidades.

—

Você pode saber mais sobre o método *Médium de Terreiro* acessando o nosso site nos links sugeridos ao longo dos capítulos.

—

Quando falo sobre desenvolvimento mediúnico, a primeira coisa que as pessoas me questionam é: *como é isso? Como se faz?*

Sabemos que, na maioria dos terreiros, acontece o seguinte diálogo entre entidade e novo médium:

"Olha, filho, você é cavalo."
"Mas como assim sou cavalo?"
"Você é médium."
"Ah é? E o que faço agora?"
"Você desenvolve, filho"
"Como me desenvolvo?"
"Na próxima gira, venha de branco!"

E como esse novato é acolhido? Ele é realmente convidado a se colocar junto dos médiuns e incorporar. Logo mais, está fazendo o atendimento.

Embora isso pareça ser um bom acolhimento por parte do terreiro e expresse uma boa vontade em agregar um novo membro, colocar um médium sem preparo para trabalhar de uma semana para outra é muito perigoso.

Na maioria das vezes, esse médium chega, ninguém diz muita coisa a ele e, por consequência, ele fica perdido, sem saber o que fazer.

No entanto, ele sente. Sente um arrepio, vibrações, a consciência começa a se embaralhar. Essa pessoa sabe que tem algo acontecendo – a mediunidade não é uma fantasia, ela é física, não está na dimensão do pensamento, é corporal.

É isso que faz o médium ficar. Comigo foi exatamente assim. Eu percebia muitos erros, incoerências no processo, mas sentia o que acontecia no meu corpo, não podia negar. Por isso, mesmo diante de tantos problemas que enfrentei no desenvolvimento mediúnico, nunca cogitei abandonar o exercício da minha prática. Não poderia negar que era médium.

Devido a isso, pensei e entendi que aquilo fazia parte da minha existência e que a minha busca seria apenas por um caminho de harmonia. Essa era a minha "obrigação". Mas, negar que incorporo e mudar de religião nunca passou pela minha cabeça. Estaria me enganando.

Retomando ao desenvolvimento do exemplo inicial... Ao começar a gira, é normal que o "novo médium" seja girado por uma entidade incorporada, ou até mesmo pelo(a) sacerdote(isa).

Nesse rodopio rápido e incansável, quem está de fora percebe a hora que a entidade incorpora. Esse giro facilita o transe. É algo incrível de se ver, porque a pessoa roda com estabilidade mesmo em grande velocidade.

Isso me lembra muito o transe *sufi*. O sufismo é a mística do islamismo em que os religiosos giram e cantam, com roupas características, e entram em transe com aquele movimento. Ficam horas rodopiando sem parar. É incrível e lembra muito as ações do médium de terreiro.

Na umbanda, quando há um *sufi* é malconduzido, o médium pode ficar nauseado, e eu já presenciei acidentes terríveis com essa ocorrência.

Certa vez, uma sacerdotisa incorporou e começou a rodopiar, e as pessoas foram saindo da sua frente. Ela chegou perto de uma janela, onde havia uma alavanca que estava saliente. A mulher bateu a cabeça na alavanca e machucou-se seriamente. Precisou ir para o hospital, o trabalho acabou ali e, o pior, ela traumatizou-se, nunca mais quis incorporar.

Fui desenvolvido com esse método de rodopiar. Uma vez, também já caí e me machuquei. Você pode estar pensando agora: *Mas quem te desenvolve tem que segurar.* Sim, porém não é isso o que acontece na maioria das vezes, porque o ensinamento é "se caiu, tem que se levantar".

O método girante, no final das contas, é perigoso, e quando eu assumo o Sacerdócio, mudo isso no meu método.

Os meus filhos espirituais não vivenciam isso. No terreiro dirigido por mim, eles têm o momento de estudo, uma longa caminhada de imersão, e só depois, quando começam a abrir a consciência, inicia-se o desenvolvimento.

No dia a dia, na prática, o que acontece é que o indivíduo pode ficar parado, concentrando-se, entregando-se, até que a entidade chegue. Se não chegar naquele dia, tudo bem. Até que chegue, ele tem a liberdade de ficar no cantinho, focado.

Respeito todos os métodos, mas o que proponho aqui é uma avaliação da eficiência deles. Existem pessoas que não conseguem desenvolver-se com o giro exatamente, porque se sentem mal ou amedrontados, e não se adaptam. Ao relatar isso ao(à) seu(sua) sacerdote(isa), são ignoradas e acabam saindo do terreiro. Desistem do seu desenvolvimento. É muito doloroso alguém romper com sua fé porque não existe um entendimento da parte daquele que deveria guiar. Por isso, trago essa consciência para que os sacerdotes mais novos entendam sobre seus métodos e definam quais são realmente pertinentes.

É dever do sacerdote conhecer vários métodos e saber lidar com essas particularidades. Qual seria então o padrão geral?

É o de colocar a pessoa em um círculo, cantar pontos referentes à entidade que vai desenvolver, e deixar o médium sentir, ir mudando a frequência vibratória e entrar no transe.

Mas vai existir aquele que precisa realmente girar, o que necessita do ponto riscado, aquele que se deita para o orixá, entre outras infinitas particularidades.

A função do método girante é entorpecer, tirar o indivíduo da sua confusão de pensamentos e criar um vazio em sua mente. A perda de percepção sensorial desprende o sujeito de seus pensamentos e isso favorece a conexão da entidade. Por isso, esse método tem sua função, porém, o médium precisa aprender a se concentrar por si só, e não usar o giro ou outros artifícios para o resto da vida, como o caso da sacerdotisa que usei como exemplo.

CONCENTRAÇÃO E *MINDFULNESS*

A concentração é um dos métodos utilizados durante o desenvolvimento, e é sobre ele que vou explicar um pouco mais agora.

MEDIUNIDADE NA UMBANDA

Muitas pessoas se questionam sobre o tempo em que se dá "por completo" o desenvolvimento. É uma dúvida latente para quem está em desenvolvimento e não sente nenhuma "grande" evolução no seu dia a dia. Vive-se, então, um sofrimento por não saber quando exatamente o desenvolvimento vai ser "finalizado".

Por esse motivo, explico como ele se desdobra em cada indivíduo: depende muito do método aplicado. Como citei acima, a concentração faz parte dessa lista e, normalmente, ela acontece quando a pessoa é inserida numa roda de médiuns – incorporantes ou não – e então a corrente se concentra em uma determinada vibração.

Se é Caboclo, tocam-se pontos de Caboclo. O novato começa a se concentrar e passa a sentir uma alteração vibratória, a entidade se aproximando; até que se dá o transe. Tudo isso acontece na primeira fase do desenvolvimento, que explico adiante.

A concentração é um método extremamente eficaz e que não exige muito do médium, a não ser exercícios meditativos e de esvaziamento da mente.

Recomendo que aprenda técnicas de *mindfulness* – atenção plena –, que consiste em desenvolver foco no momento presente, em conexão com seu corpo e respiração, sem se envolver com fluxos de pensamentos externos. Existem muitos sites e aplicativos, bem como literaturas, que ensinam esse método simples e cientificamente comprovado, efetivando sua eficácia no aumento de performance, no foco, na diminuição e cura da ansiedade e de outros transtornos.

Ensino isso na prática em meu método Médium de Terreiro.

Há, também, nos terreiros mais "cruzados" – onde se tem forte influência africana –, o chamado recolhimento.

RONCÓ OU CAMARINHA

É um recolhimento do médium que dura sete, quatorze ou vinte e um dias. Nesse recolhimento, são feitos diversos preceitos internos, fechados, e é ao final dessa iniciação que ocorre o transe. Se for um terreiro com forte presença do candomblé ou do africanismo, essa pode ser uma das formas de se iniciar um médium.

Em resumo, o recolhimento coloca o indivíduo em isolamento, vestindo roupas específicas, alimentando-se de comidas mais saudáveis: frutas, verduras e tudo o mais natural possível. As comidas são quase todas cruas e não se ingere carne nesse período.

A pessoa passa por um período de estudos, leituras e dinâmicas daquela casa e cria mais aproximação com o(a) sacerdote(isa). A camarinha é o seu quarto iniciático, e nela também é feita a chamada de seu mentor ou orixá para se manifestar.

Nessa atmosfera, é mais fácil a pessoa se entregar ao transe. Ela está longe da televisão, da internet, das redes sociais, de preocupações e distrações; está ali só refletindo sobre a sua mediunidade. É outro padrão de pensamento e sentimento que o indivíduo vivencia, e é, sem dúvida, uma experiência muito rica.

RITO DE PASSAGEM

Além do recolhimento, alguns praticam o retiro à natureza. Essa é uma forma mais "indígena", e propõe várias obrigações naquele ambiente, como passar uma noite em uma mata escura e enfrentar ali seus medos. Essa é uma forma de ampliar as capacidades sensoriais.

Estou exemplificando métodos e suas formas individuais, mas o sacerdote bem preparado utiliza esses métodos todos juntos. O ideal é isto: instruir o médium a ir em todos os campos santos, ou seja, nos pontos da natureza, e entrar em contato com os orixás.

Deve-se recomendar também que experimente ao menos uma vez o giro, para que sinta se ele tem eficácia ou não. Ademais, que possa entrar num ponto riscado diversas vezes e fazer o *amaci* – que é o banho de ervas na cabeça para fortalecimento da coroa (estrutura mediúnica). Todos esses métodos, em conjunto, contribuem para o desenvolvimento do médium, bem como a observação do que é melhor para cada indivíduo. Tais fatores, atrelados às características de cada pessoa e ao seu modo de vida, definem o tempo de desenvolvimento.

Por isso, não existe "caminho fácil".

Certa vez, durante o meu desenvolvimento, disseram que eu teria de fazer um sacrifício de um bode em um cemitério, para que pudesse perder a consciência durante a incorporação. Imagine, eu tinha catorze anos, e só queria desenvolver a mediunidade com o intuito de fazer o bem, e então recebi esse pedido. É muito difícil lidar com esse tipo de informação. Não fiz o sacrifício!

Mas o que quero explicar com essa passagem da minha vida é que definitivamente não existe método ou oferenda para que você conquiste algo que não é sua característica. Não existe nada que faça você desenvolver mediunidade prática se você não a tem. Assim como não é possível fazer um ritual ou um curso para ter clarividência, psicografia etc.

Mas, se você tem alguma mediunidade, sempre há uma maneira de potencializá-la: aprender a se concentrar melhor, a focar e aprimorá-la.

PONTOS RISCADOS

A Magia de Pemba, ou Escrita Mágica, é muito utilizada para colocar o médium em desenvolvimento dentro do espaço mágico e possibilitar que ele entre numa frequência vibratória intensa e específica, o que acaba por colaborar para a assimilação dos chakras em relação às energias das entidades e dos orixás.

Esse é um método muito eficaz quando se sabe aplicar e que traz grandes avanços no processo.

FASES DO DESENVOLVIMENTO MEDIÚNICO

Considero três fases de desenvolvimento:

- 1ª fase: conexão – quando o indivíduo está na experimentação, abrindo seu campo mediúnico, e ainda vai começar a estabelecer as conexões. Ele participa dos preceitos específicos e das giras de desenvolvimento até acontecer a primeira incorporação.
- 2ª fase: firmeza – neste ponto, o médium já incorpora e começa o desafio de sustentar a incorporação pelo máximo de tempo possível. Se a gira leva duas horas, ele precisa se manter durante esse período. Aqui, o médium descobre que incorporar é o mais fácil, e o difícil mesmo é perdurar nesse transe.

Esse período dura um tempo particular para cada um. E a evolução é percebida por etapas, ou seja, no começo, o médium fica incorporado por no máximo cinco minutos, e então o tempo passa a aumentar.

- 3ª fase: apoio – cada terreiro tem seu processo, mas, nessa fase, normalmente o médium começa a fazer firmeza com a vela, ponto riscado, a benzer roupas, água, e então já se sustenta durante o trabalho. Além disso, nessa etapa, ele já pode começar a falar com o camboneamento, conversa com o sacerdote incorporado e, então, inicia o passe nos irmãos da corrente e em crianças, e as coisas começam a se desenrolar com fluidez. Este é o momento do médium ir para a linha de passe ou para o atendimento geral.

Depois dessas três fases, entendemos que o médium já está "desenvolvido" e começará a ir para a linha de passe. O que denominamos de desenvolvimento, portanto, é esse processo de habilitação, o caminho de sair do zero – nunca ter incorporado – até a firmeza e o atendimento.

Após iniciar seu atendimento junto do corpo mediúnico, o médium desenvolverá a mediunidade para o resto da sua vida. Isso porque este é um exercício constante e eterno.

A HORA CERTA DE DESENVOLVER

No tópico anterior, citei o tempo de desenvolvimento como uma das aflições do médium. Já acompanhei um desenvolvimento em que a pessoa levou sete anos para incorporar. Ficou mais de dois anos só sentindo vibrações. Isso evoluiu até que chegou o momento em que aplicava passe e consulta. Também já presenciei um médium que em um ou dois meses já ministrava atendimentos.

Fazendo essa relação, quero acalmar o coração dos médiuns quanto à prerrogativa do tempo. Não há uma cartilha para a mediunidade, cada indivíduo é um universo próprio e isso precisa ser respeitado. Existem pessoas que chegam no terreiro em situações muito difíceis. O afloramento já aconteceu há muito tempo, e durante isso ela adoeceu, está perturbada e não aguenta mais sua condição.

É natural que, com esse histórico, a mediunidade aconteça mais rapidamente. Isso não significa evolução, às vezes a pessoa encontrou a religião por acaso, e, devido a esse motivo, a mediunidade aflora com o tempo.

Além disso, existem as características próprias dos indivíduos. Se alguém é muito ansioso, não consegue se concentrar, isso é um dificultador, bem como vícios e comportamentos e padrões emocionais que entorpecem o médium.

O que importa, acima de tudo, é o que o médium não deixe de sentir a experiência mediúnica, ou seja, a presença espiritual por meio de vibrações e outros sentidos. A gradação disso é com o tempo, é com o "entregar-se".

Conheci uma médium que, por muito tempo, ficou frustrada por não conseguir incorporar. Ela queria uma orientação para melhorar isso, e eu sempre aconselhava que ela relaxasse. Em um momento em que ela realmente se despreocupou, não teve expectativa, a incorporação aconteceu.

Cada um tem seu tempo, pois o desenvolvimento está atrelado também à sua espiritualidade. Muito cuidado com a ideia de que você precisa se desenvolver, independentemente de crer ou não. Conforme a noção espiritual do indivíduo amadurece, isso se reflete no desenvolvimento mediúnico.

O vínculo espiritual e religioso é o que dá mais sentido à mediunidade. A pessoa precisa ter isso em vez de só "sentir" coisas. É o que dá caminho para o desenvolvimento humano e ainda o que colabora para que não haja excessos, fantasias e confusões.

A hora certa para se desenvolver, portanto, é quando o médium está emocionalmente maduro, consciente e determinado. "Ah, mas não existe essa hora." Ela existe ao entendermos que a mediunidade foi uma escolha consciente, e que foi informada a toda família, a fim de que, quando for necessário tempo de dedicação à mediunidade, isso não seja um problema. Temos um norte do que é o indivíduo emocionalmente maduro na sua decisão. É importante que ele saiba que haverá domingos de manhã que serão dedicados a uma oferenda na natureza, e que existe a abstinência de carnes em determinados dias. Sobretudo, é essencial que isso esteja resolvido em si e com as pessoas mais importantes da vida da pessoa.

A hora certa para se desenvolver é quando há maturidade para assumir responsabilidades e se está consciente e convicto da sua decisão. A partir disso, cabe mostrar com seus atos que sua escolha merece, no mínimo, respeito.

Se, mesmo assim, não houver esse respeito, lute para que possa ter independência daquele núcleo, e só então assuma seu caminho na umbanda. Essa é a atitude certa. Do contrário, tudo isso será uma escolha de dor e de sofrimento. Passei por isso e não indico. Acredito que poderia ter esperado o momento certo.

Já vi pessoas desistirem da religião porque tentaram ter aceitação por muito tempo e ela não ocorreu. Também já presenciei casamentos acabarem, pois não houve comunicação para lidar com essa nova realidade dentro do relacionamento.

Maturidade emocional é do que estou falando. Não é questão de esperar estar profissionalmente realizado, ter uma quantidade ideal de filhos, ter mestrado e doutorado. Se você planeja demais, nem acontece.

O momento certo não é a hora do seu sucesso, e sim quando a religião não trouxer mais conflitos. Ela precisa entrar na sua vida de forma harmônica, trazendo mais amor, leveza e paz. Assim como o desenvolvimento em si. Ele precisa ser um florescimento, uma oportunidade de vida nova ao indivíduo a partir daquele momento. Uma vida próspera e melhor do que a anterior.

Por essas questões é que não desenvolvo e não recomendo o desenvolvimento mediúnico em crianças e adolescentes.

Espero que a mediunidade na sua vida seja essa grande oportunidade. Que a cada nova reunião mediúnica você saia um pouco melhor.

SAINDO DO LIVRO...

Preparei uma palestra bem especial sobre o desenvolvimento mediúnico em crianças e adolescentes, vem expandir o livro comigo no link a seguir:

https://mediumdeterreiro.com.br/livro/capitulo-9

10.
Desenvolvimento mediúnico II

Como já apresentado por mim nesta obra, não considero que o médium seja o "aparelho" da espiritualidade, tal como uma marionete. O ser médium é alguém que encontra nas suas entidades uma parceira, e une aos seus valores tudo aquilo que aprende daquele ponto em diante. O desenvolvimento mediúnico é como a clareira existencial de Martin Heidegger na filosofia e na psicologia. É neste momento da vida do indivíduo que ele se questiona sobre a razão da sua vida. *De onde viemos, para onde vamos no final?* E, ainda, *qual a minha função no mundo?* Esse ponto crucial da vida de alguém se refere à descoberta sobre qual o propósito maior para sua existência.

Ao se descobrir médium, esses processos começam a ser alicerçados para que a maturidade ganhe cada vez mais espaço.

O contato com capacidades extra-humanas, extracorpóreas, e com consciências de espíritos ascensionados, permite que o médium viva esses desdobramentos também em seu

MEDIUNIDADE NA UMBANDA

íntimo. Quando a entidade se põe a falar, isso ecoa do mesmo modo no interior do médium. Ele precisa estar atento a esse movimento, que é o "domar-se", e que posso dizer que mesmo é, de fato, o aprimoramento ou a lapidação de si. É a partir desse relacionamento que vai se criando serenidade e sabedoria perante as situações da vida.

Esse processo, embora seja verdadeiramente intenso no desenvolvimento, é constante em toda a vivência mediúnica.

Após você ter se habilitado, a vivência é o dia a dia, é operar algo que é seu. Ninguém te dá o desenvolvimento mediúnico, logo, é algo que está em você, é seu!

Para quem possui mediunidade prática, o desenvolvimento é como aprender a dirigir. Todo mundo é capaz, mas você precisa aprender a como lidar com essa engrenagem, e estudar para saber como se dá o processo todo. Ele é, portanto, o momento que você se habilita a dirigir o veículo da espiritualidade. Só que, nesse caso, o veículo é consciente também.

É nessa etapa que o médium se desdobra para se afinar à sua família espiritual, para que, juntos, desenvolvam um trabalho benéfico para as vidas de outras pessoas. Mas, também, para obter benefícios para si. Quais serão esses benefícios? Comprar um carro? Ganhar na loteria? Absolutamente não. Esses ganhos são suas percepções sobre o mundo e a existência. É sair do fluxo da ilusão e da fantasia e estar cada vez mais presente e ativo nesta realidade. É permanecer no aqui e no agora sem usar válvulas de escape ou fugas de realidade.

RITUAIS E RECURSOS DO DESENVOLVIMENTO MEDIÚNICO DE TERREIRO

Banho de ervas

Além dos métodos, existem, também, rituais e elementos que influenciam no desenvolvimento mediúnico, e é sobre um deles que quero explicar agora.

O banho de ervas é uma prática muito popular, fortemente presente na vida do umbandista, mas, do mesmo modo, evocada em diversas tradições. A erva é um elemento vegetal da natureza, e, para nós, é um aglutinador prânico. Possui qualidades energéticas que concentram a potência divina.

O universo das ervas é amplo, mas, às vezes, recorremos apenas àquelas que estão no quintal, ou às mais fáceis de encontrar, não é mesmo? Por isso, ressalto que nós temos necessidades diversas. Constantemente, precisamos de elementos vegetais específicos para os banhos e as defumações.

Por exemplo, no desenvolvimento mediúnico, indica-se o uso de ervas potencializadoras da mediunidade. Sálvia, alfazema, samambaia e alecrim são algumas das que exercem essa função. Elas ativam o estímulo do chakra frontal, que é o "chakra da mediunidade". Têm poder de sutilização do nosso estado de espírito e funcionam para nos deixar "facinhos" e mais aptos a incorporar.

Por que é importante usar as ervas certas?

Ao tomar um banho de ervas, você limpa seu campo energético e sutiliza sua vibração. As ervas não curam o indivíduo em longo prazo ou mudam o seu padrão emocional, entretanto, agem no momento restaurando a harmonia. Criam uma nova realidade vibratória que facilita a conexão do guia com o médium, mas isso passa rapidamente. Por esse motivo, é importante entender que o banho de ervas é muito eficaz em sua função. Para curas emocionais, contudo, o caminho é outro.

Esse é um rito que considero fundamental no desenvolvimento e na vivência do médium. Para quem está em aprendizagem, é comum que seja orientado o uso de determinadas ervas em toda gira. Isso deve ser respeitado como preceito.

A defumação executa o mesmo papel, no entanto, ela é mais ampla. O banho é individual e aplica-se em cada pessoa, enquanto a defumação pode cuidar de você, do ambiente e das pessoas que ali estiverem.

Mas não necessariamente um método substitui o outro. A defumação agrega em sua alquimia o fogo e realiza o processo de transmutação da erva em fumaça, alterando a atmosfera do ambiente. Já no banho, o processo de extração do prana vegetal se dá pela infusão das ervas na água.

Este tópico é breve, porque, apesar da questão do banho de ervas para o médium iniciante ser, às vezes, uma grande dúvida, é algo simples de se entender. As ervas agem mais como um facilitador e propiciador da atividade mediúnica. Elas trabalham a favor do médium. Por isso, respeite esse preceito tão solicitado pelos sacerdotes e sacerdotisas.

OFERENDAS

A fase do desenvolvimento mediúnico é a etapa da vida do umbandista em que ele faz mais oferendas. É normal que se oferte a todos os orixás e guias cultuados na casa.

Isso envolve bastante coisa e é um processo necessário. O estabelecimento desse relacionamento é importante. É nesse momento da vida do médium novato que suas vibrações são recepcionadas pela espiritualidade. Essa é a conexão dele com o sagrado. É divino!

Na umbanda, o ritual de oferenda não tem como objetivo "alimentar ou fortalecer" o guia ou o orixá. A oferenda faz parte de um processo ritualístico de relacionamento e uso prânico, que se inicia desde o momento em que a pessoa acorda, disposta a organizar esse rito, até quando ele é ofertado.

Ao se planejar para encontrar um local viável para realizar a oferenda, comprar os elementos, escolhê-los, lavá-los, cortá-los e organizá-los, o indivíduo está se conectando com aquela vibração. Ao cantar os pontos, rezar, bater palmas, essa conexão se fortifica e acontece o que chamo de integração emocional do indivíduo com a força espiritual ofertada.

Existe uma devoção de tempo, preparo e atenção àquela atividade. Essa é uma das práticas de meditação ativa que existem na umbanda. Você se concentra totalmente no axé do orixá ou do guia e pensa em todas as suas particularidades, materializando-o naquela oferenda.

Ao depositar a oferta, ou "arriar a oferenda", como dizemos popularmente, a espiritualidade se manifesta retirando o prana de todos os elementos, transformando isso em uma poção balsâmica, que é aplicada no corpo espiritual da pessoa que está fazendo o ritual de ofertório.

A oferenda, na umbanda, é um gesto de amor, de troca e de cura. É o *religare* do indivíduo com forças maiores e incompreensíveis. Aquela energia densificada que se forma com o prana vai agir e revestir a pessoa por dias.

O campo energético do médium vai metabolizar essas energias e esse processo faz com que as suas vibrações sejam alteradas, flexibilizando os chakras. Tal laceamento do campo energético do médium permite que as conexões sejam feitas com mais naturalidade no momento da incorporação.

Além disso, os efeitos da oferenda são emocionais. A cada nova oferta, há uma experiência mística e uma irradiação muito intensa que são emitidas sobre o indivíduo. Todo esse axé configura uma harmonização, um reconhecimento vibratório entre a divindade e o espírito humano encarnado.

A oferenda, no desenvolvimento mediúnico, pode ser considerada um preceito. Além de indicada, é necessária!

MENSTRUAÇÃO

Ainda em pleno século 21, vemos terreiros mantendo a postura de proibir mulheres de adentrarem na corrente mediúnica durante o período menstrual. A justificativa é de que o sangue atrairia espíritos vampirizadores e obsessores; reforçando a ideia de que a mulher está "suja" vibratoriamente.

O diálogo aberto deste tema nos terreiros é de suma importância, pois esse tipo de conceito é originado pelo pensamento machista que impera em nossa cultura e sociedade.

A narrativa que diminui a mulher em função do seu ciclo biológico reflete em muitas camadas da sociedade: mulheres ganham menos exercendo os mesmos cargos ocupados por homens, tendo como uma das justificativas a possibilidade de afastamento no período menstrual, motivado por possíveis cólicas e indisposições.

De muitas outras formas, o machismo retrógrado ainda dita várias regras nos terreiros. Eu teria que dedicar muitas páginas para abrir essa discussão aqui. Contudo, o ponto importante é refletirmos sobre o quanto isso determina a gestão pessoal do terreiro.

É preciso normalizar a menstruação. Trata-se de um ciclo natural, importante e divino da mulher! Esse assunto nem deveria ser uma questão dentro dos terreiros. O período menstrual não trará nenhum impacto espiritual negativo.

O único impeditivo para uma mulher incorporar menstruada é se estiver com uma cólica paralisante.

GESTAÇÃO

Quais os efeitos da gestação na mediunidade?

Ao anunciar a gravidez, muitas mulheres são afastadas do exercício mediúnico de imediato. Contudo, algumas casas defendem a ideia de que gestantes trabalhem até determinado momento, às vezes até mesmo forçando uma situação.

No entanto, há de observar-se com cautela os efeitos de cada período da gestação, assim como cada corpo reage nessa situação. A sensibilidade mediúnica tem forte ligação com o metabolismo do indivíduo. Portanto, se ele estiver excessivamente acelerado ou desacelerado, a capacidade conectiva da mediunidade também será afetada.

A natureza espiritual da mulher permite que algo diferente ocorra quando ela entra no período gestacional. Há de se considerar, também, o seu potencial mediúnico, que é sempre mais aguçado do que o do homem, justamente porque, na gestação, ela lida com naturezas diferentes em seu organismo.

A mulher tem uma preparação química e energética específica para essa diversidade, visto que, durante o processo gestacional, vivencia inúmeras oscilações na sua frequência mediúnica.

Logo no início da gestão, ela se depara com uma sensibilidade diferente da habitual. Então, inicia-se uma curva, na qual, no ápice dessa sensibilidade, ocorrem percepções mediúnicas nunca sentidas. Este é um momento rico da gestação, mas que pode gerar um conflito se não for assimilado e entendido como natural.

A partir do quinto mês, a hipersensibilidade começa a despencar. Ela cai aceleradamente, e é nesse momento que a biologia energética da mulher se modifica e a sensibilidade mediúnica passa a se recolher.

Essa não é uma regra absoluta. Há mulheres que incorporam até o último mês da gestação, assim como aquelas que, já no início, cessam os trabalhos.

Mas o importante é entender esses altos e baixos da mediunidade nesse período. Eles são comuns e, na maioria das vezes, trazem conflitos internos, tais como: *A espiritualidade está me deixando? Estou perdendo minha capacidade mediúnica?*

MEDIUNIDADE NA UMBANDA

E não é nada disso, trata-se apenas um processo natural de preparação, para que o corpo, naquele momento, dedique toda a energia para a manutenção do que é mais importante: a gestação e o pós-nascimento.

É comum que se crie uma reserva energética que "puxa" da estrutura espiritual, e, assim, ela acabe por afetar a sensibilidade mediúnica da mulher. Isso tudo ocorre para ela se reservar. É incrível: a natureza se reinventando e se adaptando a uma nova realidade.

Isso acontece porque é preciso que haja uma interiorização emocional, psíquica e energética da mulher. Esse novo ser nasce precisando de total dedicação, atenção e zelo, e a médium precisa estar preparada para esse hiato mediúnico.

É complicado pensar em dividir a rotina mediúnica com os primeiros momentos da vida de um filho. Assim, essa frequência mediúnica tende a se sutilizar ao decorrer da gestação, o que não impede a mulher de ir ao terreiro. Nada do que acontece na gira influenciará negativamente a pessoa grávida e a criança.

A proteção espiritual de um feto é algo inatingível. Nenhuma demanda ou magia consegue adentrar esse campo. Existe o mito de que a mulher não pode frequentar a gira de Exu por ser algo muito pesado para o bebê. Isso não é verdade! Ele está num invólucro físico e espiritual, nada invade esse campo.

Sendo assim, cada grávida deve sentir seu corpo e dizer qual é o seu momento de parar. Existem gestações que exigem mais cuidados, e se, por isso, a médium já pausar suas atividades no início, está tudo bem.

Mas o que é importante entender dessa reflexão é que este é um momento na vida da mulher em que haverá um esfriamento. O chakra frontal vai se fechando e se reservando para a função vital do organismo, e não mais para o contato extrafísico.

O próprio processo de amamentação é uma doação de energia intensa. É desgastante para a mulher. Por isso existe essa reserva e a preservação do corpo energético. Não há necessidade de dedicar energia ao universo, porque agora o universo é o bebê.

Esse fechamento é, de fato, um amparo divino. A volta vai depender da orientação dos espíritos. Mas é normal que a retomada seja a partir dos seis meses depois do parto. Trata-se de uma abertura gradual. Dificilmente se retorna de onde parou. Mas, é provável que, após um ano do parto, a mulher já possa viver 100% da sua mediunidade novamente.

SAINDO DO LIVRO...

Convido você a apontar seu celular para o QR CODE ou digitar o link no seu navegador e assistir a um vídeo complementar a este capítulo.

https://mediumdeterreiro.com.br/livro/capitulo-10

11.
Preceitos mediúnicos

Preceito é aquilo que se orienta a fazer, que pode ter cunho moral ou comportamental, e funciona como regra ou obrigação.

Há preceitos particulares que cada terreiro estipula, e existem, ainda, os preceitos tidos como universais. Estes estão presentes em mais de 90% dos templos de umbanda.

Por preceito universal, podemos citar a abstenção da ingestão de bebida alcoólica e de relação sexual 24 horas antes do trabalho mediúnico.

Uma regra de ouro é: se alguma dessas regras de preparo mediúnico não te agradam, ou mesmo te ferem de alguma maneira, repense sua estadia na casa, pois, antes de tudo, é preciso que se tenha uma postura de respeito e reverência ao solo sagrado em que você está, assim como aos preceitos do local.

Procure entender e respeitar. Não confronte! Há muitos novos umbandistas iniciantes e imaturos espiritualmente que têm dificuldade de entender preceitos. Usam sempre a desculpa de que o que vale mesmo é a intenção. Essa postura contrária aos preceitos foi algo que, ainda imaturo, eu mesmo tive. Mas quero compartilhar que, ao entender toda a fundamentação, passei a respeitar os mecanismos colocados pela própria espiritualidade para uma vivência saudável com o sagrado.

No entanto, o que vale é o conhecimento aplicado. A intenção é fundamental, mas mesmo que você seja uma pessoa boa, ao ingerir álcool antes do trabalho mediúnico, o seu foco e padrão vibratório serão alterados.

O preceito religioso por natureza é incômodo. Ele precisa ser, para o indivíduo, uma oportunidade de reflexão e, por isso, muitas vezes não faz sentido. Por exemplo: o preceito da não ingestão de carne ao vegetariano em nada afeta esse indivíduo.

O preceito precisa ser uma mudança na rotina. Mesmo abdicando de algo que goste, que isso seja feito de bom grado. O mesmo se aplica a quem não ingere bebida alcoólica. A abstenção precisa ser feita de outro modo. Não pode ser indiferente.

Ao refrear um hábito, o indivíduo passa a repensar o seu papel diante do que lhe é sagrado. É um momento de introspecção e de energias harmonizadas.

A umbanda é rica em preceitos, que devem ser entendidos e fundamentados para uma vivência salutar e, acima de tudo, para um desdobramento de consciência, de percepção de coisas novas a cada vivência preceitual.

Para friso final, tenha em mente sempre que o objetivo emocional do preceito religioso é transportar o fiel para um estado de incômodo, de modo que, sempre que ele se deparar com esse gatilho, refletirá sobre o motivo de estar naquele lugar de abstenção, reforçando cognitivamente seu compromisso com o Sagrado e seu objetivo espiritual. É, acima de tudo, mais um reforço de convicção.

TIPOS DE PRECEITO

Ingestão de álcool e de carne animal

Há quem afirme que a vida material não tem relação com a vida espiritual. No entanto, não é assim que acontece. Tudo o que o indivíduo faz no dia a dia reflete no seu íntimo e, por sua vez, na sua relação com a espiritualidade.

Tudo o que ocorreu durante o seu dia foi protagonizado por você. A sua vida é uma só. Dividida por campos, mas tudo é você. Se algo acontece e te deixa muito satisfeito, isso reflete positivamente na sua vida, assim como situações negativas. Mas, em tudo, está você.

Ordens iniciáticas de magia e comunidades espiritualistas levam em consideração o preceito em suas dinâmicas práticas desde sempre, principalmente o preceito da não ingestão de carne antes da ação mágica. Para o umbandista, isso se aplica à gira. Não comer qualquer tipo de carne antes do trabalho mediúnico é um dos nossos preceitos universais.

Energeticamente, consideramos qualquer tipo de carne impactante para o organismo do indivíduo. A digestão é mais lenta e exige grande esforço energético, físico e espiritual no processo metabólico. Por isso, o preceito deve ser observado, criando-se, de fato, um hábito vegetariano nas 24 horas que antecedem o trabalho mediúnico.

Essa informação é baseada numa média comum de pessoas. A regra deve ser reavaliada em pessoas que tem alguma necessidade específica para ingestão da proteína animal, caso não possa ser substituída por sua forma em pó ou líquida.

A intenção é que a alimentação se sutilize até o momento da gira. Nas últimas três ou quatro horas, é indicada a ingestão apenas de sucos, vitaminas ou lanches leves. Comidas gordurosas e de digestão pesada precisam ser evitadas. Isso também compromete seu organismo físico e espiritual. O desempenho de concentração, conexão e dissipação energética são reduzidos. Diferentemente do que acontece quando você cuida do preceito.

Isso é o que chamo de potencializar as energias dos chakras. A energia de seu corpo e espírito estão afins com as energias das entidades. Além disso, seguindo o preceito, o chakra gástrico não estará sobrecarregado tentando metabolizar as energias dos alimentos.

O que sempre indico aos meus filhos espirituais é que comam carne antes do trabalho e validem isso na prática. Na outra semana, peço que realizem o preceito corretamente, mantendo uma alimentação saudável. Entendo que os preceitos precisam ser experimentados ao avesso, para que o médium assimile a sua importância sob uma perspectiva empírica.

MEDIUNIDADE NA UMBANDA

O preceito chega perto de ser um dogma na umbanda, só não o é porque tem explicação e fundamento para ser exigido. Mas, de qualquer forma, ele precisa ser respeitado. Temos de ser coerentes com esse fundamento. Se caso você duvide da eficácia, deixo aqui a sugestão de fazer o teste como expliquei. Não precisa contar a ninguém, coma carne antes do trabalho mediúnico e observe como se sente. Depois, faça ao contrário. Reflita sobre as sensações e perceba o porquê da existência desse preceito.

Assim também é com a bebida alcoólica, como citado anteriormente. No trabalho religioso, o indivíduo precisa se esforçar para chegar à sua energia mais natural possível. Por mais que ela não fique "pura", o ideal é que ao menos chegue cada vez mais perto do que é a essência daquele indivíduo. Esse é o objetivo.

A bebida na mão da entidade tem outro foco. O álcool é um densificador e esterilizante energético. Ao ser manipulado na magia, ele potencializa e descarrega magnetismos. Porém, quando o Exu, por exemplo, toma um gole de cachaça, faz isso para criar mais conectividade com o campo energético do médium. A energia densa entra, mas é metabolizada rapidamente e, em alguns segundos, você percebe que o médium se movimenta e desenvolve a incorporação com mais facilidade e conexão com o guia.

Esse artifício, utilizado por Exu, pode ser mal interpretado e usado como justificativa para aberrações. Novamente, esclareço: desvio comportamental – como alguém que bebe três litros de uísque em uma gira dizendo ser Exu – não tem nada a ver com a religião. Isso é responsabilidade do médium incorporante.

O elemento etílico, além das funções citadas, também age como um esterilizador ou catalisador de energias. No organismo do consulente, a bebida age como o contraste da medicina. Ela brilha e localiza necessidades internas que precisam de cuidados energéticos no organismo do consulente.

O seu uso no trabalho é muito importante. Mas nunca confunda bebida de poder, que é o que você usa ritualisticamente, com o que você consome fora do terreiro. Nunca diga que você bebe porque seu guia pede, isso, sim, é uma profanação! Eles não podem sequer se defenderem de algo assim, então chega a ser uma covardia, um insulto. Não confunda jamais os usos da bebida.

A bebida no terreiro é sagrada, e seu uso segue as regras da espiritualidade, sempre focado na manipulação e na firmeza, com ingestão supermoderada quando ocorre. Se você tem visto algo muito diferente, acenda a luz vermelha: tem algum desvio aí.

TABACO

O cigarro, assim como a bebida alcoólica, é uma droga legalizada. Ambos são, por si só, escravizadores. Como erva de poder, o tabaco é amplamente utilizado pelos espíritos durante os trabalhos.

Os antigos Pajés, que rendiam culto a Pai Tabaco, diziam que esse é um elemento tão poderoso que é capaz de escravizar, caso seja usado de forma profana. Dentro das histórias sobre essa erva, sempre redobraram o alerta sobre o uso consciente dessa força.

Como ele pode escravizar? Viciando. Você fica dependente. Mesmo que seja manipulado em sua forma pura, se o uso é profano, poderá desenvolver a dependência química dele.

Sempre observamos os povos nativos no Brasil fazendo uso do tabaco, porque, na sabedoria ancestral, descobriu-se o poder mágico dessa erva. Ela é extremamente potente para dissipação de energias pesadas e densas. Auxilia, portanto, na abertura de consciência e também da mediunidade. É poderosa também na indução e na manutenção do transe.

Na umbanda, é assim que aprendemos a nos relacionarmos com o tabaco. Temos a substância como sagrada. Por isso, também, utilizam-se charutos de qualidades e fumos de corda desfiados, porque são a erva em seu estado mais natural possível. Não há adição de químicos, como acontece com o cigarro comum.

Sou médium ativo desde 1996, e não tenho problema ao manipular o tabaco. Utilizo-o nos trabalhos e não sou tabagista no meu dia a dia. Isso mostra que o meu relacionamento com a substância é sagrado! Sendo assim, ele desenvolve sua função magística, espiritual e religiosa.

Digo isso porque já presenciei pessoas afirmarem coisas como: "Eu fumo porque meu Exu pede". Este é um absurdo! Você fuma porque é viciado, tem um problema e precisa se curar. Responsabilizar as entidades espirituais é um ato covarde e irresponsável.

O tabagismo traz prejuízos para o corpo físico e para o espiritual. O hábito entorpece os chakras e, à medida que isso acontece, eles se densificam, gerando até mesmo problemas físicos e doenças.

Quando um enfisema ou outros problemas relacionados ao tabagismo surgem, o campo espiritual da pessoa já está devassado.

Ser fumante não impede o indivíduo de exercer a mediunidade. Mas há uma diferença enorme entre o fumante e o não fumante, a começar pelas conexões dos chakras. Já desenvolvi muitas pessoas que, ao saberem desses fundamentos, deixaram o vício durante o desenvolvimento e relataram as diferenças.

Acho muito interessante quando o médium pede ajuda à entidade e relata inúmeros problemas, e então o guia encoraja-o a abandonar o vício. A pessoa pede ajuda, pede para rezar e dar um passe, e, então, ao final do atendimento, está na calçada do terreiro, fumando. A entidade não vai dizer que você está proibido de fumar, mas é sempre este o conselho.

É POSSÍVEL DESENVOLVER A MEDIUNIDADE EM DEPENDENTES QUÍMICOS?

Esse é um questionamento recorrente. Não existe possibilidade de desenvolver alguém que faz uso de drogas entorpecentes.

Por quê? Primeiramente, porque o dependente químico está disfuncional emocional e quimicamente – este já é um dos motivos. Segundo, porque esse indivíduo está sempre associado a desvios de comportamento e desequilíbrio. Ao ampliar a capacidade mediúnica da pessoa, ela acaba virando um ímã de espíritos negativos, obsessores e viciados como ela.

O processo de cura e libertação do vício é muito mais desafiador para quem tem a mediunidade desenvolvida. A recomendação é sempre muito clara: se o indivíduo tem algum tipo de problema com vícios, seja ele espiritual ou material, precisa primeiro se dedicar à cura. Somente depois estará apto a dar um passo rumo a outra vida por meio do desenvolvimento e da vivência mediúnica.

Quando alguém está dependente do consumo de entorpecentes, é comum sentir um déficit, um vazio emocional e, ao conhecer a religião, é usual querer se libertar, decidir mudar essa realidade.

Geralmente, é possível entender por que a pessoa se entrega a esses vícios destrutivos. Existem inúmeras razões, mas sempre há uma fuga de si ou da realidade. A droga traz momentos artificiais de alegria, a euforia chega a ser orgástica para o cérebro. Ela traz um complemento irreal à pessoa que não encontra mais completude e sentido em nada em sua vida.

Faz-se necessário tratar-se emocionalmente, fisicamente, psicologicamente e espiritualmente, e só então, depois de curada, a pessoa pode ingressar no desenvolvimento da sua mediunidade.

SONO

Qual a importância do descanso? Imagina-se que essa necessidade seja do corpo biológico, mas, na verdade, ela é também algo essencial ao corpo espiritual.

Ao repousarmos, nosso organismo está em um processo de cura e de restabelecimento. É nesse momento que ele se organiza. O corpo espiritual consegue, a partir do sono, deslocar-se do corpo físico e também descansar. É quando o reposicionamento energético acontece. E isso só ocorre quando dormimos profundamente.

Mesmo as projeções astrais só acontecem quando estamos em sono profundo. É durante esse tempo que o corpo reduz o metabolismo e, com isso, possibilita as projeções astrais. Um corpo com metabolismo acelerado não permite o deslocamento do espírito.

Antes da atividade, mediúnica é extremamente importante que o médium tenha descansado bem. Por isso, é um dos conselhos ao indivíduo que, no dia anterior à gira, recolha-se cedo para dormir. Os hábitos do sono refletem diretamente no trabalho mediúnico. Se a pessoa está bem-disposta, a qualidade da energia é muito melhor do que a de um corpo cansado, desgastado e, por sua vez, com a mente abalada. A falta de descanso abala o campo vibratório do médium, dificultando o seu trabalho.

Essa é a importância do sono. De tão relevante, hoje a ciência se dedica veementemente aos estudos sobre o sono. Muitos distúrbios e doenças estão associados a noites mal dormidas.

A mente assimila o aprendizado ao repousar. Na primeira infância, uma criança dorme até dezesseis horas por dia. O sono é a base para espírito, corpo, mente e emoções sadios. Além disso, os horários são portais energéticos. Sobre isso vou explicar no próximo item.

HORÁRIOS PLANETÁRIOS

Sim, as horas têm influência na energia que sentimos do planeta, dependendo da região em que estamos. Essa explicação dá sentido ao preceito de entidades que estipulam hora para fazer determinadas coisas, como não sair de casa após a meia-noite ou tomar um banho de ervas até determinado horário.

Imagine, neste momento, o globo terrestre, como se tivesse uma cruz no topo. A Terra gira e as regiões vão rotacionando por entre esses quadrantes da cruz. Cada um desses "pontos" da cruz representa um horário, e o ponto de partida é às seis da manhã.

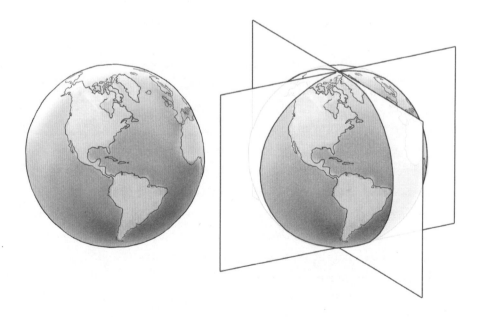

Esse é um horário conhecido por ser a hora da Ave Maria. Isso é uma liturgia católica trazida das religiões nativas, na qual os povos já observavam que esse é um horário em que acontece uma mudança energética planetária.

Na região em que se marca seis horas da manhã, abre-se um portal angelical. É irradiado, então, um forte magnetismo nesse ponto do planeta. Por quê? Porque o planeta está passando pelo portal fixo.

Nesse momento, a energia é diferente, pois seres angelicais estão presentes, e seu magnetismo faz uma varredura completa da região. Recolhem-se todos os espíritos vagantes, perdidos e bestiais que estiveram durante a noite transitando na superfície terrestre. Limpa-se, vibratoriamente, a crosta terrestre, para que o dia flua dentro de um padrão vibratório natural.

Por volta das nove da manhã, aquele ponto do planeta já passou por completo pelo portal, e agora ele começa a sair dessa frequência. Ao meio-dia, isso volta a se modificar, com o ápice da irradiação do sol. Chamamos isso de potência energética do dia ou da luz.

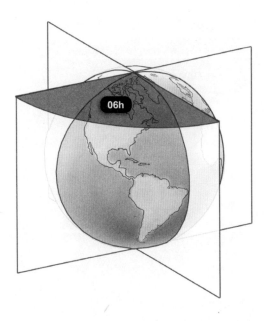

Este é um momento de desencadeamento vibratório magnético muito poderoso. A região está, portanto, alinhada a uma frequência vibratória nobre.

Essa energia é muito semelhante à do terreiro. Por isso, muitas entidades estipulam a prática de oferendas, banhos e firmezas ao meio-dia. Mas deve ao exato meio-dia, nem antes nem depois.

Se receber essa orientação, respeite-a, porque existe um fundamento apoiando-a A acolhida do que é ritual nesse portal do meio-dia é extremamente potente.

Essas variações continuam ao longo do dia e da noite. Após o meio-dia, a frequência diminui, e às 15 horas a vibração volta ao estado natural. Entre as 17h30 e as 18h, acontece novamente uma hora sagrada. Nesse momento, na região, há outro disparo energético forte. Esse é o horário dos "santos", no qual temos muito presentes a energia dos orixás e deidades planetárias intensificadas. Esse magnetismo pode ficar fluente até as 21h. É por isso, também, que as giras normalmente ocorrem nesses horários. É uma egrégora favorável à nossa cultura religiosa, assim como o horário das seis da manhã é para o católico.

Observe estes momentos para realizar meditações e para se relacionar com questões mediúnicas.

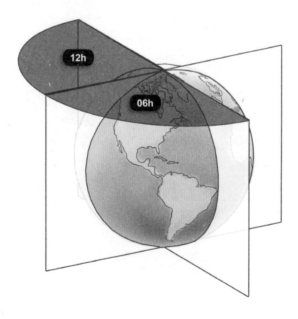

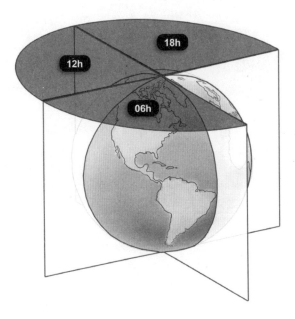

Após às 21h, a região passa por outro ciclo energético. Começa a vigorar a Frequência Planetária Vibratória dos Guardiões. É então que os Exus e Pombagiras começam a desencadear seus trabalhos rotineiros. Os Tronos Guardiões começam a assumir postos vibratórios nessa região, preparando-se para o que virá.

Nas próximas horas, seus médiuns e tutelados começam a ter mais facilidade para se comunicar com eles. Experimente validar isso que explico. Comunique-se com Exu ao meio-dia, às 15h, às 18h e após às 21h. Sinta e compare as frequências energéticas. Entre 21h e 23h a fluência vibratória dos guardiões é bem maior, porque este é o horário favorável à sua frequência.

Por fim, chegamos à hora grande, zero hora, ou meia-noite. Este é o momento que aquela região do planeta passa por um portal bestial. No livro de minha autoria *A redenção – Ascensão, queda e redenção do espírito humano*, há um momento em que um guardião Tranca-Ruas está diante da abertura desse portal, que levanta seres bestiais das camadas mais inferiores deste plano. Da meia-noite a uma hora, esses espíritos saem das faixas trevosas e abismais e são jogados em nossa realidade.

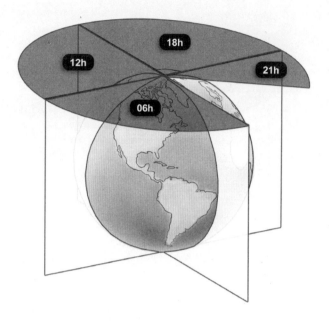

É nessa situação que começam a se vincular com seres encarnados em frequências semelhantes. Esses são os retratos dos verdadeiros vampiros. Trata-se de uma hora trevosa, ao mesmo tempo em que essa ação revela a misericórdia divina se manifestando para esses seres. A Lei Divina os traz aqui porque eles já perderam a consciência de sua humanidade. São guiados por seus piores instintos e encontram amigos encarnados para se vincularem aqui.

É instinto, não é nem sequer intencional. Mas isso acontece para que, justamente, nessa ligação com um humano, que também está em processo de bestialização, mas ainda mantém uma fagulha de humanidade viva, o obsessor reconecte-se com sua natureza humana.

Às seis horas da manhã, o portal angelical retorna e faz a varredura. Alguns retornam às trevas, outros ficam grudados em seus hospedeiros encarnados, por responsabilidade do próprio indivíduo. Tudo isso acontece em perfeita sintonia. Nesse horário, enfim, é estabelecida uma calmaria.

Ou seja, magias negativas e rituais malignos são feitos entre meia-noite e três da manhã porque é o momento ápice, no qual os seres de atividades bestiais estão à solta. Os magos de magia negativa capturam e escravizam obsessores para que eles realizem trabalhos horrendos.

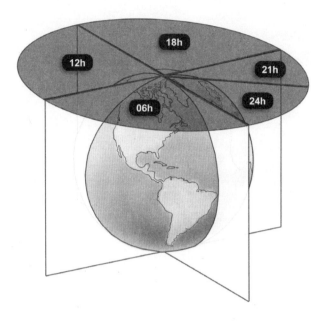

Para o mago combatente que elimina essas energias negativas e que atua na quebra de demandas, a meia-noite é também o melhor horário para abrir seus portais de luz. Por isso, escute, valide e entenda quando uma entidade orienta sobre os horários indicados para determinado trabalho. Isso é importante!

SAINDO DO LIVRO...

Convido você a apontar seu celular para o QR CODE ou digitar o link no seu navegador e assistir a um vídeo complementar a este capítulo.

https://mediumdeterreiro.com.br/livro/capitulo-11

12.

Magia e a mediunidade de terreiro

A magia é a ciência mística da natureza, a arte real. E, podemos dizer também, o princípio prático das investigações do homem sobre as forças naturais.

A ação de magia está implícita na umbanda, e especificamente a mediunidade de terreiro se desenvolve e consolida através dos processos dinâmicos da magia.

Quando, no terreiro, vemos o Caboclo acender vela, Preto Velho estalar os dedos, Exu riscar ponto, estamos diante da magia de umbanda. Cada ação com sua peculiaridade. Mas tudo é prática magística.

A magia é o gene da umbanda. Ela está presente em seu ritual. Não há umbanda sem magia. A umbanda usa a magia para que a ação espiritual aconteça. É assim que é, porém, existem aqueles que tem clareza sobre isso e os que não fazem ideia.

Quero enfatizar isso para que nos libertemos de conceitos equivocados. A magia não tem um lado, não é positiva ou negativa. Ela é, em si, a movimentação de energia. Aprender a arte de atrair, concentrar, configurar e direcionar energias para seu objetivo é magia. Parece simplista defini-la assim, mas é isso mesmo. Entretanto, sobre como você desdobra tudo isso, são diversas as formas e os degraus, que vão dos mais simples até os mais complexos dos rituais.

Rezar uma erva ou, como dizemos, "acordar" o seu magnetismo vegetal por meio da reza e definir o que ela vai curar é magia. Quando pego, por exemplo, uma espada de são Jorge (*Dracaena trifasciata*) e recito uma oração como esta: "*Meu Pai Ogum, abençoe esse vegetal sagrado. Em seu nome, peço que o imante, potencialize das suas energias para me proteger de energias negativas, para cortar todo tipo de ação invejosa, para cortar o mau-olhado, a energia negativa, os cordões negativos ligados em mim*", estou ativando e configurando, ou seja, dando uma ação – que, no caso, é proteger.

Isso é a magia acontecendo em algo muito cotidiano do umbandista. O mesmo acontece ao acender uma vela. Não para iluminar o ambiente. Com essa ação, você atrai a energia e configura a chama da vela para permanecer reverberando e replicando aquela oração e intenção enquanto ela se manter acesa.

Desde os primórdios, o homem é um praticante nato de magia. Ao descobrir o fogo, começou a dar, literalmente, luz à sua razão. Passou a pensar sobre todas as coisas e também a estabelecer conexão entre elas. Foi nesse momento que criou as movimentações energéticas. Nessa observância empírica, faz magia. Todas as religiões nativas possuem magia, assim como as naturais e as modernas.

Os porões da Igreja Católica abrigam muitos estudos sobre magia. Um renomado e clássico mago descendente do catolicismo foi um monge que se revoltou com a Igreja ao ser traído por um bispo. Esse era Éliphas Lévi. No Brasil, Lévi teve dois grandes discípulos que o popularizaram na década de 1980: Paulo Coelho e Raul Seixas.

Lévi desenvolveu uma exploração magística muito forte no século 18. Ao se decepcionar com a Igreja, usou todo seu ímpeto para explorar tudo aquilo que era combatido pela instituição. Então, tornou-se um mestre em magia, não porque foi iniciado, mas porque se debruçou em conhecer e dominar todo ocultismo existente na natureza naquele contexto possível.

Seu grande clássico é a obra *Dogmas e rituais de alta magia*, onde consta o icônico desenho de Baphomet/Bafomé, que, mais tarde, tornou-se a figura de Belzebu para a goécia, a magia negativa europeia. Baphomet é a ilustração de um ser meio humano e meio animal, com inúmeros símbolos. Esse desenho foi a capa de um disco de Raul Seixas, que os cristãos neopentecostais perseguem até hoje, por dizerem ser a imagem do demônio.

Ao estudar a magia, entendemos que, na verdade, aquela imagem representa diversos conceitos, mas a mensagem explícita tem o objetivo de assustar mesmo, para que mal-intencionados não se atrevam a desvendar a magia.

Lévi trouxe ao público a magia natural e tradicional, que se desenvolveu na Europa. Também na Europa existe a goécia, a magia negativa. Esta é uma modalidade voltada para o mal, dedicada a causar prejuízos, e quem abriu isso de forma exponencial foram as escolas de magia europeia.

As técnicas de magia e pactos para atração de espíritos trevosos e elementais negativados, a fim de escravizá-los a seu favor, são nefastas e existem até hoje na literatura pública aberta.

Muito famoso é São Cipriano – o bruxo que era devotado ao mal e tinha um "demônio" que o sustentava. Certa vez, Cipriano pretendia causar mal a uma mulher, e esse demônio lhe disse que não poderia atingi-la, pois aquela era uma devota de Nossa Senhora.

Nesse momento, São Cipriano se revoltou contra tudo aquilo que servia, porque seu objetivo era estar acima de todos. A partir desse "empreendedorismo da alma", converteu-se e passou a seguir Nossa Senhora. Claro que, então, arrependeu-se de todo o mal e de tudo o que se dedicou a escrever e disseminar em prol da destruição.

A partir daí, começou a trazer o conhecimento da magia para o bem. Esta é uma história muito interessante, que vale a pena ser lida nas obras: *São Cipriano – O Bruxo, Capa Preta* ou *Capa de Aço* (o conteúdo é o mesmo).

Dentro dessa vasta literatura sobre magia, cito como referências Francis Barret, que em 1801 lançou o livro *Magus*. Trata-se de um compilado da magia ao longo dos tempos de uma forma muito harmônica. Essa obra foi perseguida, queimada e proibida na época. Outro grande feiticeiro muito conhecido na maçonaria é Papus, que foi parceiro de Éliphas Lévi. Estes são autores para você entender sobre magia na História. Cuidado com o que você executa nesse sentido. Consulte sempre um Caboclo, Preto Velho ou qualquer entidade no terreiro para saber sobre o que se faz.

O que deixo aqui é que existe muita magia além da umbanda e que ela está presente em todas as religiões. Apenas as que são puramente mentalistas não fazem o uso dela.

RESPONSABILIDADE MÁGICO MEDIÚNICA

Tudo o que é usado para determinar ações energéticas no terreiro é entendido como magia. Pontos cantados e riscados, ervas, velas, oferendas, e até mesmo a reza.

O meu primeiro livro foi um romance mediúnico, e nele conta-se a história de um espírito que assume a falange de Tranca-Ruas das Sete Encruzilhadas*, mas que, em sua trajetória como encarnado, tinha sido um grão-mestre de magia, mago iniciador que vivia no Egito. Ao desencarnar, teve sua queda, e nesta obra narra sua história em meio a uma vida em que se utiliza de magia para promover coisas ruins.

Enfim, continuemos no nosso foco, que é a magia e a mediunidade. Até este momento, já sabemos que tudo o que é feito durante a incorporação é responsabilidade do médium, assim como a magia que é executada. O Caboclo não faz magia do plano espiritual e nos envia de lá. Isso não acontece. O mesmo ao contrário, se você desencadeia uma magia positiva para ajudar alguém desencarnado, ela não vai surtir nenhum efeito no plano espiritual. O máximo que consegue é pedir para que outros espíritos intercedam e promovam o auxílio. Mas, no geral, a magia só surte efeito dentro da realidade em que se configura.

Por isso, quando a entidade risca um ponto, abre um espaço mágico, desencadeia uma oferenda ou manipula uma energia, precisa de um intermediário para que isso surta efeito de fato. Quem é essa chave? O médium!

---

* O livro é *A redenção*: Ascensão, Queda e Redenção do Espírito Humano, de Rodrigo Queiroz. Ditado por Pai Preto de Aruanda, Editora Madras.

A entidade sempre sabe o que está fazendo. Ela estudou todas as magias que se aplicam no terreiro, mas, ainda assim, é preciso dessa ponte entre o mundo espiritual e a vida neste plano. Por essa razão existe a necessidade do médium. Essa chave é insubstituível. Não permite apenas a conversa entre encarnados e desencarnados, mas propicia que ações como essas sejam desencadeadas.

Cada vez mais entendemos a necessidade de existir consciência de parceria. Médium e entidade precisam se complementar, um em ajuda ao outro. Por isso é essencial a importância de se dedicar aos estudos e aprender com o guia. Você, médium, está agindo junto. É também protagonista, e a responsabilidade mágico-mediúnica também é sua.

As iniciações em magia dão suporte para que processos mágicos sejam feitos sem incorporação. Essas magias devem ser feitas sempre com muita consciência. É preciso entender todo o processo – começo, meio e fim –, dentro de um padrão de legitimidade e iluminação. O contrário disso pode destruir o indivíduo.

A responsabilidade mágico-mediúnica trata dessas questões. O papel do médium é o de procurar estudar sobre magia e acrescentar conhecimentos diversos, bem como ferramentas que sejam usadas no propósito legítimo e benéfico da umbanda.

Quando realizada em ajuda mútua, isso vai refletir diretamente na sua estrutura espiritual, física, emocional e mental. Absolutamente tudo o que a espiritualidade faz de ação mágica precisa do médium. A incorporação acontece para que suas ações se configurem neste plano. Esta é a realidade material e humana; e, para que a magia possa fluir, precisa existir um encarnado no processo. O resto é fantasia.

EFEITO DOMINÓ

Tudo o que fazemos utilizando de magia possui efeitos imediatos. Se você desencadeou uma magia curativa, naquele momento, algo já ficou em você. Por isso, também, se, por algum motivo, alguém faz algo para destruir a vida de outro, uma parcela disso fica nela. Ao ajudar, avalie também a sua vida: até onde você está apto a fazer isso?

O exercício religioso mediúnico corrobora até mesmo com uma perspectiva sociológica. O atendimento espiritual muda a realidade de muitas pessoas. Se você faz parte do terreiro, mesmo que não viva o transe, mas ajuda as pessoas e as escuta com amor e empatia, já está mudando aquele meio para melhor.

Como você muda sua realidade?

O sentido de comunidade é este: ao ajudarmos uns aos outros, estamos ajudando a nós mesmos. Ao criar uma teia de ações que impactam na sociedade, trazemos um novo olhar para a vida por meio do cuidado.

Tudo isso é poderoso. O que fazemos no terreiro semanalmente no contato com as pessoas é poderoso. Os guias diante das pessoas são os olhos de Deus. É como se estivéssemos falando com Deus.

O que se verbaliza para o indivíduo tem um impacto muito grande. Esse impacto reflete na sociedade como um todo. A magia é isso. É o que você faz reverberando infinitamente no outro e, consequentemente, em você. Busque uma vida consciente. Seja uma pessoa positiva. Trabalhe de bem com a vida e tenha resultados incríveis. Isso não é teologia da prosperidade. Suas ações refletem na sua realidade. É fato!

E, aos indivíduos que se dedicam em prejudicar os outros, o prejuízo é horrível. O fim é tomar diariamente gotas de veneno em doses homeopáticas. Uma hora, tudo acaba degringolando. Não conheço nenhum indivíduo que tenha feito magias negativas e tenha uma vida próspera e abundante. Não conheço nenhuma história dessas. Pelo contrário.

Experimente viver a vida como nos princípios da magia. Dedique-se, entregue o seu melhor, faça o que gostaria que fizessem com você. Tenha uma vida mágica!

POLARIDADES DA MAGIA

Quero começar este tópico esclarecendo que seguir receituários de magia não te torna um mago. Há uma diferença entre feiticeiro e mago. Assim como há diferenças entre cozinheiro e *chef*. Existe aquele que segue a receita e aquele que a cria.

O mago se especializa nesse campo, cria, desenvolve, entende e consegue lidar com a natureza e os princípios de ativações mágicas. É autônomo. Já aquele que pratica a magia seguindo suas receitas pode se tornar um bom feiticeiro. Isso é muito possível, se houver dedicação, e sua energia magnética for favorável à magia.

Na polaridade da magia, é preciso observar a intenção. Essa é a chave de tudo. Ao ler uma receita de magia, você vai constatar que acontecem, no mínimo, quatro atos: *ativação, atração, configuração e dissipação*. Essa é a ordem da magia tradicional, em geral.

Um clarividente consegue ver quando um mago está atraindo, por exemplo, uma "nuvem" de energias negativas, e direcionando-a em prejuízo de alguém. É realmente um plasma de cor cinzenta que se forma no campo energético, com descargas elétricas de tanta ira que carrega.

Por isso é comum aquele ditado: "Você está com uma nuvem carregada". Literalmente há uma energia densa e que envolve o indivíduo, descarregando nele tudo aquilo com o qual foi configurada. O mesmo ocorre positivamente. Uma névoa luminosa envolve a pessoa e irradia sobre ela tudo o que foi determinado.

Não basta seguir receitas. É preciso sentir a magia. Ao se dispor a abrir uma magia de cura, esta precisa ser a sua intenção. Essa é a conexão que dá forças à magia. Ela precisa fluir de você e não ser apenas uma receita.

Às vezes, a melhor magia é a oração, e, assim como todas, existe a bendita e a maldita. A reza é o disparo verbal da energia que sai do indivíduo e toma um destino. Além disso, a reza pode ser somada à ajuda das entidades, divindades e anjos, tornando-se mais potente.

Mas, independentemente disso, a oração por si só cria um cordão energético que se liga e dispara vibrações. Normalmente só ela já basta. Realize-a em voz alta para que tenha um desdobramento vibratório. O som traz consigo essa vibração.

Existem ainda as orações malditas, que são os conjuros, também chamados de pragas, e que são tudo aquilo que em verbo deseja o mal do outro.

Quando falamos sobre a polaridade da magia, estamos nos referindo à intenção. O caminho que o indivíduo pretende dar a ela. A magia envolve uma série de técnicas, mas a sua ação é determinada pela emoção e pelos sentimentos daquele que a configurou.

SAINDO DO LIVRO...

Convido você a apontar seu celular para o QR CODE ou digitar o link no seu navegador e assistir a um vídeo complementar a este capítulo.

https://mediumdeterreiro.com.br/livro/capitulo-12

13.
As linhas de trabalho na mediunidade de terreiro

Em cada gira, estamos na presença de uma ou mais linhas de trabalho*. Às vezes isso, fica tão habitual que perdemos a percepção da particularidade vibratória e energética de cada uma. Mas isso por si só já é extremamente poderoso e intenso para nossa estrutura psíquica e emocional.

Perceba que ao chegar numa gira de Preto Velho, as pessoas que estão no terreiro entram e mudam seu padrão vibratório para uma energia mais calma e introspectiva. É possível ver muita gente até mesmo com sono. Isso é muito curioso. A pessoa pode até chegar eufórica no terreiro, mas vai se abrandando.

---

* Linhas de trabalho: como se designa a classificação dos agrupamentos específicos dos arquétipos espirituais, por exemplo: Caboclo é uma linha de trabalha que manifesta a origem e o arquétipo do povo da floresta, o indígena.

MEDIUNIDADE NA UMBANDA

Já na de Caboclo, há uma energia forte, ativa e estimulante. As pessoas ficam também mais eufóricas. E quando se tem Exu, percebe-se um entrosamento maior entre os indivíduos. É a força de Exu acontecendo e promovendo esse magnetismo de conexão entre as pessoas.

Esses magnetismos são particulares de cada linha de trabalho espiritual. No dia daquela gira, o terreiro é imantado por aquela determinada energia e a entidade regente é responsável por ativar e dissipar pelo templo seu magnetismo. Por isso, antes mesmo do trabalho começar, as pessoas já estão envolvidas e acolhidas pela atmosfera modificada.

Grande parte dos terreiros desenvolve a mediunidade com a linha dos Caboclos e, às vezes, do Preto Velho. Não é comum Exu e Pombagira, tampouco outras linhas. Isso faz sentido? Não! Todas as linhas estão aptas a promover o desenvolvimento mediúnico. Conhecer como cada uma pode colaborar para o sucesso efetivo da dinâmica pode ajudar muito a comunidade do terreiro.

Esta limitação no uso das diversas linhas espirituais ocorre pela transmissão dos mais velhos para os mais jovens sem aplicação de um senso crítico, calcada na manutenção do hábito revestido com a ideia de "tradição". Desta forma, não se permitem aplicar novas possibilidades e não se abrem para chamar as outras linhas e deixar que elas mesmas mostrem em como podem colaborar. Percebemos, nestes casos, uma inversão de posição no comando do processo de desenvolvimento mediúnico, visto que os mestres espirituais deveriam ter a liberdade de propor novas dinâmicas.

Mas existe também outra coisa que pode ser levada em consideração nesse paradigma, que é a linha do chefe espiritual do terreiro. Normalmente, o desenvolvimento é tocado pela linha desse chefe.

Ao conhecermos o magnetismo de cada linha e como elas operam de forma diferente em cada pessoa, conseguimos compreender a necessidade de todas elas no desenvolvimento da mediunidade. Isso faz parte da firmeza mediúnica do médium: passar por todas as linhas que atendem em seu templo é vital.

É preciso falar sobre isso porque ainda existem aqueles que acreditam que se Exu vier no desenvolvimento, ele vai "assumir a frente" da pessoa. O que isso significa? Que a mediunidade dela será afetada negativamente por essa incorporação.

Isso não faz o menor sentido. Trata-se de uma imagem totalmente distorcida de Exu. E esse discurso reforça essa ideia errônea sobre a entidade. Somos umbandistas, seguimos uma religião, e tudo nela é sagrado.

Enfim, ao entendermos que cada entidade traz um magnetismo e que, para nós, todos são importantes, começamos a refletir sobre como o relacionamento com todas as linhas é benéfico.

LINHA DOS CABOCLOS

O Caboclo é, em si mesmo, de um magnetismo *ativador, pulsador, movimentador*, e isso reflete no campo emocional do indivíduo. Essas características são o que chamamos de axé da entidade, inundando o campo vibratório da pessoa e incentivando-a à ação. Traz o foco no objetivo e um impulso consciente.

A energia do jovem está representada no Caboclo. É o axé estimulante e faz com que até aquele mais avançado na idade se sinta grande, jovem e forte. Quando um Caboclo incorpora, o ambiente todo fica impregnado de sua vibração, e seu axé envolve a todos os presentes, seja apenas uma pessoa ou centenas. Um único Caboclo faz isso. Não precisa ter cinquenta incorporados. Apenas um realiza tal disparo energético.

O rodízio de linhas de trabalho que acontece semanalmente nas giras do terreiro é importante por isso. É nessa rotina que o indivíduo é agraciado com doses de energias distintas. Todas elas se desdobram em um ponto da vida da pessoa. Esse axé é positivo e transformador. Ao metabolizá-lo, é possível sentir mudanças até mesmo na estrutura psíquica e emocional.

Veja só, tudo isso acontece somente pela presença da entidade. Nenhuma palavra sequer precisa ser dita. Os guias transportam, por excelência, essa energia transformadora. É o fenômeno da incorporação em suas mais variadas formas de se fazer bem ao indivíduo. E tudo isso está implícito apenas na presença.

LINHA DOS PRETOS VELHOS

Como já comentei, o mesmo acontece com o Preto Velho, com seu magnetismo abrandador. Quanto mais agitada uma pessoa entra no terreiro na gira de Preto Velho, maior é o impacto desse magnetismo. Por isso muitos sentem sonolência.

O axé de Preto Velho te oferece uma energia mais concentrada, que abranda e acalma, com o objetivo de levar a pessoa a uma autoanálise. Como ela é feita? Silenciando, ouvindo a si mesmo e se vendo em terceira pessoa.

O Preto Velho é a pacificação de conflitos internos e externos. Se o indivíduo chega muito carregado e o descarrego é realizado nessa força, é comum que ele também se sinta muito sonolento. A carga negativa, ao ser retirada, traz alívio instantâneo. Isso é muito rico na umbanda!

LINHA DAS CRIANÇAS

Já os Erês trazem o arquétipo infantil, que tem como principal característica a quebra de padrões. Com isso, inclusive, são importantes no desbloqueio de traumas e cargas emocionais negativas. A alegria e mesmo a "bagunça" manifestada descontrai e inverte totalmente os padrões rígidos da vida adulta. Nessa ruptura, o indivíduo se torna mais leve. Seu emocional fica tomado por essa energia, e, então, é mais fácil ver graça em questões que pareciam muito complicadas ou ousar dar passos mais além do que o normal.

O magnetismo das crianças da umbanda tem um efeito poderoso na luta contra os traumas.

Assim como os Erês, outras entidades trazem marcadamente a alegria como característica, como é o caso dos nossos queridos baianos.

LINHA DOS BAIANOS

Diferentemente da euforia das crianças, os baianos vêm com alegria, gracejo, e mostram que estar de bem com a vida é sua missão.

Seu magnetismo busca incentivar o indivíduo ao relacionamento social e à postura expansiva de movimentação. Ao rir de situações conflituosas, demonstram que nada na vida é tão importante que a ponto de tirar a sua alegria de viver.

A fé em uma vida melhor é presença forte no axé do povo baiano!

LINHA DE EXU

Quando tratamos de fragilidades no ambiente de terreiro, sejam elas emocionais, comportamentais ou psíquicas, há uma entidade que "escancara" todas elas por meio do seu magnetismo.

Sabe quando algumas questões começam a vir à tona? Você tenta fugir, se esquivar, mas de nada adianta, porque somente o fato de estar à espera pelo início da gira já faz com que essas reflexões invadam sua mente?

Os Exus têm um magnetismo poderoso em trazer, por meio das palavras, tudo o que o indivíduo carrega consigo naquele dia.

São deles o importante papel de dizer o que ninguém gosta de ouvir sobre si mesmo. Existem questões que queremos esquecer, mas elas voltam à tona sempre, porque não são resolvidas.

Ao mostrar nossos erros e desajustes, nossas fraquezas e fragilidades, os guardiões agem durante o atendimento como espelhos. Nos enxergamos por meio deles, e é então que conseguimos localizar desvios que nos aprisionam. Essa é a maneira que têm de trazer a consciência para quem está em meio a emoções fragilizadas.

Esse magnetismo que escancara nossas vulnerabilidades é trazido por Exu. No momento da consulta, isso já está latente nos pensamentos do indivíduo, e é então que o comportamento é o alvo da conversa.

Trazer ciência sobre si é o grande objetivo de Exu, e por isso, também, ele é tão importante no desenvolvimento mediúnico.

É nesse momento que o médium precisa expandir e reconhecer sua consciência. Você já presenciou Exu fazendo arruaça no terreiro? Infelizmente, acontece. Isso significa o quê? Não é característica de Exu, e sim a entidade manifestando o reflexo do íntimo do médium.

O magnetismo de Exu é muito importante para o médium iniciante, assim como é também a "mais fácil" de se sentir. No desenvolvimento, Exu tem a função de promover o assentamento vibratório durante o processo.

É realmente incrível, a forma com que ele consolida as energias no campo magnético do médium, tornando a incorporação mais fluída.

LINHA DE POMBAGIRA

A Pombagira é outra figura central quando se trata de questões emocionais do indivíduo. Todas as linhas geram impacto emocional, psíquico e espiritual por meio do seu magnetismo, assim como os tipos de trabalhos que são realizados durante a gira. Uma prática de cura, por exemplo, reverbera muito em questões íntimas do indivíduo, um trabalho de prosperidade alerta aquela pessoa a agir para gerar resultados, o bate folhas reconecta o indivíduo à natureza etc.

A força das Pombagiras fortalece o contato do indivíduo com suas memórias e emoções mais latentes, que precisam ser curadas e organizadas para uma vida mais leve.

SAINDO DO LIVRO...

Convido você a apontar seu celular para o QR CODE ou digitar o link no seu navegador e assistir a um vídeo complementar a este capítulo.

https://mediumdeterreiro.com.br/livro/capitulo-13

14.

Animismo e mistificação

Com o tempo, esses dois conceitos foram se fundindo e tomando o mesmo significado. O termo animismo deriva de ânima ou *anima*, que, em grego, significa *alma*. Um dos livros de Aristóteles se chama *Da Alma*, e nessa obra o filósofo discorre sobre as particularidades e personalidades da alma humana.

O animismo trata do momento em que a alma do indivíduo é impressa durante o transe mediúnico. A alma do médium se manifesta durante esse processo e deixa aflorar sua personalidade mais inconsciente na incorporação. Pode acontecer de ele mesmo se voluntariar a se manifestar conscientemente na comunicação entre espírito e consulente.

O que para muitas pessoas parece equivocado e extremamente ruim, na verdade, só precisa ser entendido melhor.

Ao longo do tempo, o processo mediúnico foi se modificando, e as intenções e os objetivos da espiritualidade

MEDIUNIDADE NA UMBANDA

tomaram novos caminhos. Passamos pelo período que digo ser o "chamamento", no qual fenômenos físicos e espirituais eram comuns.

Os espíritos precisavam trazer a boa-nova e ainda provar que existe vida após a vida. Por isso, fatos extraordinários eram facilmente vistos. Essa não é mais a realidade de hoje, tampouco é a preocupação das entidades. A mediunidade adquiriu mais maturidade. O trabalho mediúnico passou a se consolidar e tomar forma. Não é mais preciso provar sua veracidade. A religião e o exercício da mediunidade vivem outra fase de crescimento. Esse novo período é marcado pelo início de uma "nova fé", do adepto mais consciente e que já não precisa de fenômenos para crer que a umbanda existe.

Saímos da fase do impressionismo para adentrar o momento em que a racionalidade acompanha os princípios da religião. Seguimos um caminho religioso porque ele oferece suporte e nos mostra algumas respostas. A forma de se relacionar com Deus mudou. A humanidade está mudando a maneira como vê aquilo que lhe é sagrado. A própria mediunidade hoje está voltada para o desenvolvimento da consciência.

Por isso, inclusive, a presença e a participação do médium durante a incorporação são tão importantes. Entendemos, hoje, que não existam médiuns inconscientes, assim como não existem os 100% conscientes. A premissa do transe é a união de duas consciências – do espírito e do médium. Assim, a pessoa nunca está no exercício pleno de sua racionalidade e de suas percepções. Mas ela está presente e pode influenciar tanto positivamente como negativamente esse trabalho.

Tudo depende de questões emocionais e da formação do indivíduo. Nesse momento, entramos no tópico do desenvolvimento humano do médium. Existem pontos que precisam ser ajustados ou melhorados no início do desenvolvimento mediúnico. Essa é uma forma de se livrar de armadilhas clássicas do ego. Interesses pessoais não podem prevalecer no contato mediúnico.

Foram esses mesmos equívocos que deram origem à "neura" espírita sobre o animismo e a mistificação. Colocou-se tanto peso sobre esses conceitos que já presenciei pessoas acreditarem que nunca conseguiriam exercer a mediunidade por conta do animismo. Esse medo se torna tão grande que o indivíduo abandona o exercício mediúnico. Aconteceu e ainda acontece muito.

154

Quando geramos tamanha neurose sobre o animismo, estamos negando processos vitais da nossa cognição. Negamos a nossa própria lucidez durante a comunicação mediúnica. Ao agirmos dessa maneira, anulamos o fato de que existe um ser humano vivo e que está presente em corpo, alma e mente. O animismo muitas vezes é somente a ansiedade do indivíduo sobre passos que ainda não pode dar. Isso ocorre também na boa intenção. O médium está tão afoito com o fato de que vai trabalhar em um atendimento que começa a emitir sua própria opinião e se sobrepõe à entidade.

É natural e algo visto com frequência no desenvolvimento mediúnico. Após adquirir-se maturidade, isso passa. E então, o mesmo médium começa a ter maior tranquilidade para separar o que é a entidade falando e o que é sua opinião. Porém, isso leva tempo. Não é de uma hora para outra e também não é um defeito. Repito, é natural. Como melhorar? Praticando e desenvolvendo cada vez mais.

Claro, tudo isso deve ser acompanhado por alguém já maduro e preparado, que, na maioria das vezes, é o sacerdote. O estudo, atrelado ao treino no terreiro, é o que o médium precisa para aperfeiçoar sua comunicação. O exercício mediúnico é ir ao terreiro incorporar, e, ao incorporar, vivenciar tudo com senso crítico, desenvolver a conversa íntima com a espiritualidade.

Os estudos te auxiliam a ter uma boa conduta, um alinhamento e uma forma centrada de pensar a sua mediunidade. Mas a prática é entre você e a entidade. Por isso, trabalhe a sua ansiedade, corrija suas aspirações e chegue até um patamar em que você esteja em terceira pessoa. E, direcionado pela entidade, dê um passo para trás, entregue o veículo e se deixe ser conduzido pelo transe. Agora você é o passageiro, e seu papel é o de observador.

Por isso, não tenha medo do animismo, não acredite que é influência negativa ou presença de obsessores. Isso não deve te afastar da prática mediúnica. Mas precisa ser observado, treinado e reorganizado em você.

Mesmo os médiuns mais maduros, em algum momento, podem ser anímicos. A interação junto à entidade é comum, não dá mais para acreditar na "pureza mediúnica". A comunicação sem interferência nenhuma só seria possível se o espírito se materializasse neste plano e conversasse com as pessoas.

MEDIUNIDADE NA UMBANDA

Quando há um intermediário para que isso ocorra, existe a interferência, mesmo que seja mínima e que nos esforcemos para que seja quase imperceptível. Ainda assim, ela existe e é legítima.

Se tivermos dez Caboclos Pena Branca incorporados representando sua falange, entendemos que esses Caboclos estão seguindo um padrão de trabalho mediúnico, que se relaciona com a sua "função" no astral. A mensagem trazida por esses guias será a mesma, mas, ao ser repassada pelos médiuns, cada uma tomará uma forma. Isso é animismo. Por isso, todos, em maior ou menor grau, são anímicos em algum momento. Esse afloramento inconsciente não deve ser rechaçado.

Tenho uma passagem da minha vida mediúnica que me mostra, que, nos primeiros anos, a questão do animismo era extremamente forte pra mim.

A dúvida sobre a minha contribuição como médium durante o atendimento me perturbava. Tudo o que eu ouvia era que não existia influência do médium e, se existisse, ela deveria ser eliminada.

Durante meus estudos, fui bombardeado por neuras em relação a esse assunto, até que, um dia, estava certo de que não existia ninguém que não mistificasse. No terreiro, eu ficava durante toda a gira observando os médiuns e pensando em como eles estavam mistificando. Chegou um momento que eu já não incorporava mais, porque concluí que eu também era um mistificador. Isso ocorreu durante um mês.

Não sou clarividente, não enxergo os espíritos. Algumas poucas vezes visualizei um guia, quando era necessário me mostrar algo. Cheguei na gira e, dominado por meus pensamentos, questionava-me: *O que estou fazendo aqui? O que essa gente faz aqui? Está todo mundo fingindo?*

De repente, olhei para a frente e vi, ao lado de um dos médiuns, um Preto Velho. Eu não via mais o médium, olhava para os lados, fechava os olhos e só enxergava a entidade. Na minha arrogância, pensei: *Esse é de verdade, hein? Vou lá conversar.*

Chegando perto do médium, muito emocionado, e também com um pouco de pavor, bati cabeça, e logo ele me interrompeu dizendo: "*Mi zi fiô, o que mais importa é o conteúdo da mensagem, se é algo de bem, que traz esperança e fé, um espírito de bem sempre estará nela. Deu pra entender, zi fiô?*".

Claro que deu! Eu chorava de vergonha por toda a minha estupidez, voltei para o meu lugar e nunca mais o vi. Nesse momento, caiu minha ficha de quanto eu estava cobrando uma prova fenomênica, preocupado se as pessoas estavam mistificando ou não, na medida que ia me distanciando do que é essencial: a fé. Estamos ali porque esse é o nosso caminho espiritual e incorporar, de repente, é nosso menor propósito.

Esse momento foi muito profundo na minha trajetória mediúnica, porque ali entendi que estava perdendo a essência, a motivação do que é real para mim. Nessa visita do Preto Velho, pude entender que se o que sai da boca do médium incorporado ajuda, é nisso que devemos nos apegar.

Não interessa a "porcentagem" do transe do indivíduo, se a mensagem é de bem, acredite, ali há influência espiritual. Com isso, não quero legitimar quem falseia, mas mostrar que o mais importante do trabalho mediúnico é o que se está inspirando nos indivíduos. Na umbanda, você é estimulado a exercer o melhor de si para o mundo e para o seu desenvolvimento humano.

A mediunidade, sobretudo, é o exercício do autoconhecimento. É a expansão da consciência. Tudo isso precisa estar claro e alinhado para o médium. Quando a boa vontade é sincera, não existe mistificação, e sim animismo, mas mesmo o animismo é dissolvido em meio à legitimidade da comunicação dos espíritos.

Não há como mensurar se o que é dito pelo médium é mais dele ou da entidade. No entanto, se, durante o transe, o Caboclo fala de coisas desconexas com o propósito sagrado da umbanda, então temos um problema.

Esclarecido o animismo, posso caminhar para uma segunda questão. Ao mesmo passo que o animismo não tem intenção clara de acontecer, pois o que é a comunicação do médium está muito entrelaçado com aquilo que vem da entidade, a sugestividade também pode florescer nesse terreno.

Há uma linha muito tênue entre o animismo e a imaginação. Isso ainda não é a mistificação, mas é a imaginação do médium tomando proporções descabidas. Olha só como esse processo é intenso: na semana em que Chico Xavier fez seu desencarne, tínhamos gira no terreiro em que eu frequentava. Nessa casa existia um médium que, embora muito prestativo, dedicado e engajado, era extremamente impressionável. Imagine no que isso resultou

MEDIUNIDADE NA UMBANDA

neste dia? Sim. Ele "incorporou" Chico Xavier. Chico Xavier "incorporou" para agradecer pelas orações. Pasmem! Vergonha alheia.

Sabemos que é pública a decisão de Chico de deixar um código com seu filho, assegurando que, se ele retornasse em algum tipo de manifestação, ditaria esse código. Até agora, nenhum médium soube dizê-lo.

O médium que citei estava envolvido em sua fantasia de tudo que assistiu durante a semana, e foi envolvido por esse imaginário. No momento da incorporação, todo o conteúdo que o impressionou nos últimos dias surtiu um grande efeito na sua imaginação à frente do trabalho mediúnico. Isso é algo com que se preocupar. Tal comportamento no atendimento da consulência pode trazer problemas.

Você pode pensar agora: mas qual é a melhor abordagem em casos como este? Eu, como sacerdote, nunca afastaria o indivíduo, mas tentaria conduzi-lo ao entendimento da situação.

O médium, ao estar na linha de frente do atendimento, precisa estar preparado emocionalmente parasse tipo de situação, que pode ocorrer sempre que uma pessoa é influenciada por qualquer informação. Não há filtro.

Somos influenciados o tempo todo, mas, nesse nível, é considerado um ruído, que deve ser resolvido. Por isso, reforço a importância da maturidade emocional e psíquica antes de assumir um trabalho mediúnico que envolve a comunicação com outras pessoas. A educação mediúnica é extremamente importante. O estudo colabora nesse sentido.

Afinal, é importante preparar a postura do médium até que valores e fundamentos sejam naturais a ele, e confusões como essa não aconteçam. Você não precisa estudar para ter mediunidade, mas, para exercê-la com qualidade, é imprescindível. Médiuns frágeis, sugestivos, imaginários e influenciáveis existem aos montes.

Eu já vi boiadeiro "sair na porrada" com Exu, de rolar no chão no terreiro. Ninguém me contou, eu mesmo, infelizmente, presenciei. Essas manifestações fantasiosas são, ainda, muito comuns. Isso mostra que pessoas ainda despreparadas, e com muitas questões internas para serem resolvidas, estão à frente da grande responsabilidade que é a comunicação mediúnica e o atendimento no terreiro.

Por isso a fragilidade emocional precisa ser trabalhada, antes que esse tipo de coisa aconteça. Não é simples. Eu sou a favor de terapias dentro do terreiro, para que todo indivíduo trabalhe suas questões mais íntimas e possa desenvolver sua mediunidade com maturidade. Ser um médium consciente de si, que reconhece suas fragilidades e limitações, é o cenário ideal. Essa é uma mensagem que todos os terreiros deveriam disseminar.

Infelizmente, a umbanda está cheia de casos como o que relatei, que devem ser corrigidos com amor, orientação e acompanhamento.

Com isso tudo, é claro que existe a mistificação, que é a ação pensada de forma programada e tem por objetivo enganar, envolver-se, manipular e obter controle sobre a vida do outro. A mistificação é um processo consciente e se encontra enraizada no negativo do indivíduo.

O Sacerdote bem preparado e legítimo observa com rapidez e constata imediatamente quando o indivíduo está agindo de má-fé. É seu papel intervir, afastar a pessoa, se necessário, e encerrar aquele comportamento já no começo.

É nesse tipo de manifestação que encontramos os charlatões, pais e mães de santo de "poste", que fazem e desfazem qualquer coisa. A mistificação é o pano de fundo para interesses escusos, diferentemente da influência anímica e do médium sugestionado, que, mesmo na pior das hipóteses, manifestam-se tentando ser o melhor de si. Comportamentos que tentam validar uma importância maior sobre os demais e que buscam se destacar a todo custo não são ações das entidades.

Nada disso é legítimo. Inclusive, são essas ações que abrem caminho para que os obsessores se apresentem. Esses desvios de comportamento alimentam e dão passagem para espíritos negativos. É então que a incorporação começa a acontecer. Mas já não são entidades para o bem. Os famosos quiumbas sempre estão junto daquele que é charlatão. Pense bem sobre isso.

SAINDO DO LIVRO...

Convido você a apontar seu celular para o QR CODE ou digitar o link no seu navegador e assistir a um vídeo complementar a este capítulo.

https://mediumdeterreiro.com.br/livro/capitulo-14

15.

Benefícios do exercício mediúnico

Construí, ao longo desta narrativa, algumas críticas. Umas mais duras, outras que desprendem esvaziamento de conceitos antigos. Mas acredito que tenho depositado nestas linhas muito de mim, do que sinto e vivo da mediunidade de terreiro na minha vida prática.

Sempre digo que, se porventura, um dia minha crença mudar – e observo que pode acontecer, pois, mesmo há tantos anos como sacerdote de umbanda, tenho a liberdade de mudar minha religião –, se isso for uma possibilidade, ainda haverá algo que nunca poderei negar: a manifestação mediúnica perpassa minhas entranhas, condensa tudo o que é espiritual e me permite senti-la em minha mente, meu corpo e minha alma.

A mediunidade é um fato constatado em minha vida. Uma das únicas e imutáveis certezas dela, assim como o nascer e o pôr do sol. Nada disso é loucura, e por isso con-

MEDIUNIDADE NA UMBANDA

tinuarei nessa bonita e incrível jornada que é o esclarecimento da consciência e a educação mediúnica.

Podemos e devemos viver nossa mediunidade de maneira saudável e benéfica, e é sobre isso que vou explicar melhor neste tópico.

Acredito que, até aqui, já entendemos que o discurso de que o médium não deve estudar porque só assim a espiritualidade poderá agir de forma "pura", é uma grande cilada. A ignorância disfarçada de humildade ou tradição apenas alimenta uma rede de histórias que acabam mal.

As entidades trazem amor, conforto, e nos despertam para questões particulares de nosso interior. Não vêm até aqui para dar aula sobre os mecanismos da incorporação. Esse esclarecimento é um dever atribuído a cada um de nós.

Não desenvolvemos a mediunidade para obter qualquer ganho, mas o indivíduo que se permite viver toda semana a comunhão da sua consciência com uma outra, de nível evolutivo inigualável, só tem do que se beneficiar. É incrível toda a mística vivida na umbanda. A cada novo encontro, você compartilha seu "armazenamento de dados" com um outro espírito. Toda gira é única e insubstituível. Nunca se repetirá. A forma como o Caboclo se manifesta em cada oportunidade é singular. Heráclito, um dos pré-Socráticos na Grécia Antiga disse: "Nós não somos agora o que éramos a minutos atrás".

De fato, nos modificamos a cada instante. A cada nova oportunidade de exercermos a mediunidade, acessamos novos mistérios, da mesma forma que somos acessados. O contato com as entidades deposita em nossa mente questões importantes, que devem ser observadas nas nossas vidas. Normalmente, pontos a serem revistos, a fim de alcançarmos um senso mais apurado sobre nós mesmos.

O médium incorporado atende e interage com pessoas que têm as mais variadas personalidades e problemas. Esse relacionamento é extremamente rico de ensinamentos para esse médium. O olhar das entidades é livre de preconceitos, julgamentos, e está carregado de amor. As entidades estão além de verdades e mentiras. Vivem em um outro tempo, em uma outra compreensão.

Esse é o benefício terapêutico do exercício mediúnico. É sua oportunidade de tratar seus monstros, sua sombra e questões mais íntimas por meio da fusão com a consciência dos espíritos guias.

Portanto, começamos a concluir que a incorporação pode ser um dos mais valiosos caminhos para o autoconhecimento. A ampliação da consciência, por meio do transe, sem uso de qualquer químico, só é possível na manifestação mediúnica. Penso que o exercício mediúnico tem sentido quando o médium pode, por meio dele, encontrar uma forma de observar-se a fundo.

Em todos esses anos desenvolvendo a mediunidade e ainda trabalhando mediunicamente toda semana, entendo que essa prática pode te potencializar e te auxiliar em incontáveis questões. A única coisa que ela não pode é ser imposta, é ser usada como instrumento de alimento do ego e da carência, e ser distorcida para atingir objetivos escusos.

O médium comprometido entende o exercício mediúnico como uma grande e extraordinária oportunidade de estar mais próximo de Deus. A mediunidade é sagrada. Não te pede currículo nem conhecimento prévio. Assim, sem pré-requisitos, ela te move, tem o poder de te tirar do lugar comum e mostrar a experiência da vida vista de outros olhos. Uma consciência sobreposta à sua, em um "*mix* divino", no qual duas mentes pensam, sentem e se manifestam juntas.

Ainda não deciframos o cérebro humano em sua totalidade, portanto, é inimaginável decodificar por inteiro o que é a mediunidade, essa comunicação com os espíritos que acontece das mais variadas formas e que, na umbanda, encontra uma forma peculiar e forte de ser.

Médium, não desperdice nenhum momento da sua incorporação. Não permita que a vaidade e o julgamento sejam maiores do que esse instante.

Desenvolva a prática de olhar para si e aprenda durante o trabalho mediúnico. Tudo o que está posto ali naquele momento é, de uma forma ou de outra, para você. Pense em tudo o que ouve, aplicando à sua vida.

Não há coerência em ser alguém religioso e mediunicamente ativo e, ainda assim, manter-se repleto de desvios comportamentais que prejudicam a si e aos outros.

Ninguém é perfeito, mas há de se separar aqueles que são desvirtuados dos que se esforçam todos os dias para serem melhores.

Por isso, ouça todas as lições das entidades e as traga sempre para a sua vida íntima de forma prática. Dedique-se a praticar tudo o que ouve. Essa é a única forma de progredir.

MEDIUNIDADE NA UMBANDA

A percepção disso, às vezes, parece ser mínima, mas, acredite, o esforço em se lapidar todos os dias é a maior mensagem que a espiritualidade transmite.

Essa evolução humana é incomparável com qualquer outra coisa. A evolução tecnológica é um resultado da intelectualidade desenvolvida, é um advento, mas, ainda assim, não toca nossa alma, e, por isso, não muda nossa percepção sobre a vida.

Cada vez mais vemos pessoas mal-intencionadas ou perturbadas. Isso é reflexo da alma humana, e nenhuma tecnologia avançada corrige tais comportamentos.

Não estamos evoluindo nesse sentido, o planeta está deteriorado e a causa, na maioria das vezes, é a ação do homem. Portanto, nossa alma ainda precisa aprender. Isso não significa estar isento de erros. Pelo contrário: errar percebendo o que pode verdadeiramente ser mudado. Esforçar-se para que cada dia seja um aprendizado. Observar-se para que possa escrever, dali em diante, uma nova história, pois senão vamos viver uma vida de repetições. Vamos ter derrotas, mas elas servirão para nos ensinar a sair de um ciclo de pensamentos, atitudes e hábitos que não funcionam bem.

As entidades são literalmente nossos guias, neste caminho escuro, onde muitas pessoas fingem cegueira para não sair daquilo que lhes é confortável. Como farol aceso, os espíritos nos mostram para onde podemos remar, ainda que existam incontáveis obstáculos.

Então, se em algum momento você pensar que viveu um dia ruim e que nem deveria ter levantado da cama, lembre-se de que a vida está para nós como um eterno recomeço. Livre-se das culpas que nada fazem, a não ser açoitar sua consciência.

A mediunidade é um caminho para que nós, encarnados, possamos nos conhecer cada vez mais e conhecer ao outro. Ela só vale a pena e acontece como um caminho para evolução, e quando está em um ambiente de socialização. É efetiva quando tratada como algo afim com a religião, pois, do contrário, é mera experimentação.

A mediunidade solitária não flui como deveria. Ela está para conduzir o indivíduo à socialização, ao passo que ele promove o auxílio ao próximo.

Sempre será sobre troca. Podemos entendê-la também como uma linha moral, se tratando de mediunidade no ambiente religioso, por exemplo. Mas o que não terá sentido em momento algum é incorporar sozinho. Este é um fenômeno natural do ser humano e é efetivo quando traz consciência e se coloca a serviço do próximo. Todos aprendendo juntos!

Como não é boa nem ruim, o indivíduo é quem definirá como essa potência será experienciada. A minha dica é: observação, ação e lapidação constante.

Estamos chegando ao final desta obra, e é de bom tom que eu, como autor, neste momento, conclua meu pensamento e feche o que defendi ao longo da narrativa, certo? Mas, justamente porque acredito na mediunidade como algo particular, fenomênico, divino e extraordinário, vou encerrar nosso "contato literário" dizendo que a conclusão fica por sua conta.

Este livro, inspirado no curso presencial que também se tornou um estudo on-line, é o resultado de todas as minhas experimentações, vivências, pesquisas e relacionamento com os mestres espirituais da umbanda por meio da mediunidade.

Toda pergunta, por mais simples que possa parecer, todo conselho, toda gira, toda meditação e todo momento de conexão deram formato para os temas que escrevi aqui.

Este não foi um livro fácil de se trazer à luz. Ele é o resultado de algo que foi gestado durante mais de vinte e cinco anos de trajetória umbandista até o momento desta publicação.

Sendo assim, não posso nem devo concluí-lo. O tema está em aberto. Esta obra é viva e corre como um rio, sendo, a cada instante, de uma forma. Não esgotamos este assunto, e enquanto houver manifestação espiritual mediúnica acontecendo nos terreiros, haverá linhas e mais linhas a se preencher sobre esta ciência.

Entenda este livro como o seu alicerce, agora você tem no que se apoiar e pode construir a sua própria história, melhor, talvez, do que foi a minha!

SAINDO DO LIVRO...

Convido você a apontar seu celular para o QR CODE ou digitar o link no seu navegador e assistir a um vídeo complementar a este capítulo.

https://mediumdeterreiro.com.br/livro/capitulo-15

Meu desenvolvimento mediúnico

Lá no início, quando tive o primeiro contato com os espíritos na casa do meu pai, todos me diziam que eu era médium. Mas eu não queria desenvolver minha mediunidade, não queria aceitar, e achava tudo muito engraçado.

Até que um dia, aconteceu um trabalho numa cachoeira. Fui ajudar meu pai, porém, chegou uma hora em que fiquei cansado, porque havia sido um longo trabalho. Afastei-me um pouco do ambiente e vi meu pai, deitado na beira do rio, com o Caboclo incorporado no médium aplicando o passe.

Nesse momento, minha cabeça ficou tonta, a vista escureceu e se fechou. A hora que "voltei", eu conseguia ver o Caboclo e crianças encantadas. Via uma sereia no rio e a água era luz em movimento. Tudo isso aconteceu em uma fração de segundos.

Essa visão me chocou, meu coração quase saía pela boca e, num instante, minha visão voltou ao normal. Eu tinha de

MEDIUNIDADE NA UMBANDA

13 para 14 anos, era muito impulsivo, e ver tudo aquilo me fez sair corren-do em direção ao médium que estava incorporado do Caboclo. Na ocasião, o Caboclo estava desincorporando, e o médium dava passagem para outra entidade, um Preto Velho. Foi então que eu tropecei e caí aos pés do Pai José do Toco!

Ele pôs a mão em minha cabeça e disse: *"Fiô, gostou do que viu?"*. Eu estava muito emocionado e respondi: *"Se é isso que vocês estão falando que tenho que fazer, eu quero desenvolver"*. Não tinha muita consciência do que eu estava fa-zendo, mas na minha imaturidade, recebi a bênção daquele Preto Velho que me respondeu: *"Está bem, fiô, Oxalá o abençoe!"*.

Foi assim que iniciei meu desenvolvimento, em meio ao recém-divórcio conturbado dos meus pais, da adolescência rebelde e da curiosidade e do ím-peto por tudo o que é errado. Esse era o momento em que a mediunidade aflorava para mim.

O desenvolvimento em si foi muito tumultuado, e aconteceu durante três trabalhos na cozinha da casa do meu pai. Lembro-me nitidamente do pri-meiro dia em que eu iria desenvolver. O médium responsável levava todos os elementos do congá e o montava na mesa. Ele organizava tudo e, ao terminar, recolhia. Neste dia, orientou-me a bater cabeça e, na hora que fiz isso, pensei comigo: *"Estou me colocando à disposição para fazer o melhor possível por esta religião"*.

Nunca me esqueci dessa minha "promessa". Inconscientemente, dispus--me a dar o melhor de mim à umbanda, mas não tinha ainda nem ideia de que ela era uma religião que sofria preconceito e era tão deturpada.

Bom, meu desenvolvimento tinha começado de fato, e eu estava fascinado por tudo. Contava aos meus amigos, e todos achavam que eu estava louco. A vida seguiu, só que, em um momento, o médium que me desenvolvia sofreu uma grande perda. Sua mãe se suicidou.

Foi um choque tão grande que ele culpou as entidades e a religião, e ainda dizia que aquele era um caminho ruim. Sua revolta era porque as entidades não o tinham avisado sobre o que iria acontecer.

Essa relação equivocada, na qual o indivíduo acredita que as entidades estão sempre cuidando de interesses particulares é extremamente prejudicial.

Não é papel da espiritualidade interferir para evitar dores ou experiências ruins. Porém, esse médium cultivava esse conceito; e quando a tragédia ocorreu, ele revoltou-se e abandonou tudo.

No dia que o médium disse todas essas coisas, fiquei extremamente abalado. Lembro-me de entrar no banheiro e chorar muito, como uma criança perdida.

Mas o tempo passou, e mesmo ainda não entendendo o que tinha acontecido, continuei acreditando. Até que um dia acordei inspirado a fazer uma oferenda. Não sabia como fazer, mas era uma vontade muito grande, então resolvi ir até a quitanda, comprei algumas frutas e, no caminho, peguei algumas flores.

Coloquei tudo em uma mochila pequena feita de jeans, tomei um ônibus e parei onde hoje é o Campus da Unesp – Bauru. Era tudo mata virgem e, quando desci do ônibus, pensei comigo: "Meu Deus, o que eu estou fazendo aqui?". Estava com muito medo, mas resolvi entrar na mata, pois queria muito realizar aquela oferenda. Encontrei uma árvore de tronco largo, muito linda, e resolvi limpar o chão onde estava sua raiz para, então, depositar as frutas e flores ali.

Fiz tudo movido pela intuição e, naquele momento, senti uma presença. Novamente me veio o medo de ser alguém querendo me fazer algum mal. Lentamente, olhei para cima e vi nitidamente Pai Tupinambá. Ele pôs as mãos no meu ombro e disse: "Filho, confie porque agora é comigo".

Continuei cantando, rezando, chorei de emoção e então anoiteceu. Fiquei tanto tempo ali que deu tempo de a vela acabar e eu ainda continuava rezando. Então, finalizei minhas preces e esse dia ficou marcado em minha memória e jornada espiritual.

Passados alguns dias, estava na casa de alguns amigos e, no trajeto de volta para minha casa, escutei de longe um barulho. Era uma música. Fui seguindo esse som e logo senti um cheiro. Quando percebi, estava em frente a um pequeno terreiro.

Nunca tinha ido a um terreiro e, quando entrei, a entidade chefe me acolheu, conversou comigo e disse que eu estava convidado para dar continuidade ao desenvolvimento. Não pensei mais de uma vez, certamente. Aquele era um terreiro de muita boa vontade!

MEDIUNIDADE NA UMBANDA

Nessa casa, terminei meu processo de incorporação e consegui me "firmar", continuando incorporado por várias horas.

Pai Tupinambá é uma entidade de energia incrível. A partir dali, ele começou a atrair muitas pessoas para o terreiro. De um lado, isso foi gerando um desconforto para algumas pessoas que estavam havia anos na corrente e não viam as coisas acontecerem da mesma forma. Por outro, eu vivia a minha adolescência. Era um jovem conturbado, carente, emocionalmente despreparado e, por isso, comecei a achar que as pessoas iam para o terreiro para me procurar.

Uma vaidade desmedida surgiu, e foi então que minha vibração começou a mudar.

As coisas continuavam acontecendo, e um dia tivemos uma gira na mata. Nesse trabalho, chegou um Exu e assumiu a minha esquerda. Era um Exu muito bacana, superlegal, e foi envolvendo as pessoas. O terreiro era despreparado no trato com algumas coisas que precisam de entendimento. Esse Exu deu mais combustível para a minha vaidade.

Chegou um momento em que não havia mais incorporação de Caboclo e Preto Velho para mim, apenas aquele Exu vinha. As pessoas que eram devotas do trabalho mediúnico pelo qual eu me dedicava começaram a perceber que algo estava errado. Até que um dia uma mulher me disse "Rodrigo, eu gosto muito do trabalho que você faz, mas sinto muita saudade de Pai Tupinambá".

Naquele momento, mesmo que não assumisse aos demais, senti que algo de errado estava acontecendo. No mesmo dia, fui para minha casa, entrei no congá, que era no banheiro dos fundos, e, ao pisar naquele espaço, senti um frio. Sentir frio e vácuo estando diante do congá certamente não é um bom sinal. Era, de fato, uma tristeza.

A minha sensação de que algo estava errado aumentou, mas eu não conseguia discernir o que realmente acontecia. Minha imaturidade me fez pagar um preço alto, porque, por um bom tempo, eu guardei o sentimento ruim comigo e não busquei orientação.

Enfim, ainda neste dia, algo realmente extraordinário aconteceu. Lembra-se do primeiro médium que me desenvolveu, o que desacreditou dos guias depois da morte de sua mãe?

Pois bem, ele apareceu na casa do meu pai quase já incorporado e, ao entrar, o Exu que me ensinou coisas muito importantes sobre moral dentro da religião se manifestou. Um misto de felicidade e medo me tomou. Era inacreditável que aquele médium estivesse ali, depois de ter definitivamente abandonado tudo.

Aquilo era, aos meus olhos, um verdadeiro milagre. Foi então que caiu a minha ficha de que algo muito errado estava acontecendo.

Caro leitor, esse Exu me chamou, e a primeira coisa que ele disse foi: "Acabou a farsa hoje". Em seguida, pediu para chamar todas as pessoas que me seguiam que, na época, eram meu pai, a esposa dele, meu irmão e minha irmã, e alguns amigos. Esperou que todos chegassem, em silêncio. Quando todo mundo estava lá, ele começou a dizer tudo o que acontecia naqueles meses. Contou a todos que o fruto da minha vaidade tinha permitido que um espírito que não era Exu assumisse a minha mediunidade.

Aquilo estava destruindo a vida das pessoas ao meu redor. Ele disse tudo isso, e eu não pude negar. Em nenhum momento mistifiquei a incorporação, sentia ela em meu corpo e não tinha como negar isso. Mas eu não tinha algo extremamente importante: discernimento e maturidade.

Por isso, tudo o que aconteceu foi sob os olhos daquele terreiro, que entendeu que estava tudo certo. Que não havia problema ou algo suspeito no comportamento daquele "Exu". Você entende agora o como a falta de conhecimento pode ser muito perigosa?

Nesse dia, o Exu chamou essa entidade que me acompanhava e fez ela se revelar, assumindo tudo o que estava fazendo durante os últimos tempos. Depois disso foi feito o encaminhamento desse espírito e o Senhor Tranca-Ruas das Sete Encruzilhadas se manifestou, assumindo o trabalho da minha esquerda.

O efeito disso tudo? Foi imediato. Todas as pessoas que me acompanhavam estavam descrentes, frustradas e, acima de tudo, decepcionadas. Foi um momento ruim, no qual eu tive que lidar com o peso da consciência por ter deixado minha vaidade falar tão alto.

Toda essa situação resultou de uma ignorância de um médium órfão e que fora mal preparado por onde tinha passado.

MEDIUNIDADE NA UMBANDA

Não perdi a fé ali porque a mediunidade é física e, mesmo que eu quisesse, não poderia negá-la. Quais eram minhas opções? Mudar de religião? Era isso que meu pai queria, que eu me convertesse. O restante dos meus familiares não queria mais ouvir sobre o assunto, e meus amigos, daquele momento em diante, nunca mais vi.

Tomei uma decisão. Se queria continuar na religião, então teria que estudar e conhecê-la por inteiro. Após um período de esfriamento da minha mediunidade, porque toda essa situação também reverberou como um trauma para mim, eu não queria mais incorporar Exu.

Tranca-Ruas teve que ter muita paciência, porque foi um processo difícil. Era muito estranho. Relacionava-me com ele como se fôssemos dois estranhos. No final das contas, eu tinha comigo muita boa vontade, sempre foi esse meu ímpeto. Mas a imaturidade me colocou em um grande problema.

Por isso, por dois anos ininterruptos, estudei. Li tudo o que podia, inclusive as coisas mais absurdas, até o momento que encontrei a literatura de Mestre Rubens Saraceni. Essa foi a grande virada de chave, que me abriu as portas para uma relação mais consciente com a minha religião.

Chegou um ponto em que eu estava tão incomodado com o *"modus operandi"* da umbanda, que decidi que iria distribuir o conhecimento que tinha adquirido naqueles anos. Foi assim que nasceu o *Jornal de Umbanda Sagrada*, em 1999.

Você deve estar pensando que tudo voltou ao normal depois daquela noite, certo? Na verdade, não. Eu comecei a estudar, contudo, eu não frequentava mais o terreiro. Não incorporava mais. Não intuía mais nada, e permaneci por dois anos sem nunca mais saber notícias de Pai Tupinambá. Passado esse período, decidi, um dia, ir em uma cachoeira e fazer uma oferenda. Fui sem nenhuma intenção, porque nem incorporar mais eu "sabia" direito.

Então Pai Tupinambá voltou. Depois de longos dois anos sem aparecer. Àquela altura, eu já tinha entendido que ele havia desistido daquele garoto. Mas ele voltou e reassumiu o controle.

Entendi a mensagem clara de que se eu não seguisse à risca o controle de minhas vaidades, bem como da minha vida emocional, tratando a mediunidade com consciência, responsabilidade e sacralidade, ele se afastaria, dessa vez para sempre.

Aquele Caboclo não seria complacente com comportamentos desvirtuados e não abriria mão de educar com rigidez o médium para um trabalho que seria tão importante. Me apeguei no retorno de Pai Tupinambá e nos estudos que vinha encabeçando. Desse momento em diante, meu objetivo foi unir a vida mediúnica prática com conhecimento, consciência, legitimidade e verdade.

Por isso também me dedico em tirar o véu da ignorância daqueles que desejam uma vida mediúnica saudável e não têm um alicerce para construi-la.

Do que depender de mim as pessoas não vão errar com a mediunidade no nível que errei. Não desejo a ninguém que caia na vala e sofram as consequências da ignorância. O discurso de que a ignorância salva e tem perdão é um discurso romântico que foge do real. É extremamente complexo lidar com a fé e a verdade individual das pessoas.

Dediquei-me e venho me dedicando todos esses anos à desmistificação da umbanda, porque, se alguém precisa errar, que o faça de forma consciente, ou por qualquer outro motivo, mas que nunca seja por falta de conhecimento.

Hoje, como condutor do desenvolvimento dos médiuns onde estou sacerdote, tenho uma postura muito rígida contra a ignorância e a vaidade. É a sombra que me assombra, e ela é muito clara aos meus olhos.

A mediunidade é verdadeiramente a dedicação de minha vida. Desde que ela surgiu até hoje são décadas de experimentação, vivência e estudo, que culminaram em diversos projetos, iniciando pelo *Jornal de Umbanda Sagrada*, que resultou no Colégio de Umbanda Sagrada, que, mais tarde, tornou-se o Instituto Cultural Aruanda (ICA) e que se ramificou na plataforma Umbanda EAD, entre muitos outros projetos nesse ecossistema.

Dentre esses, destaco o estudo *Mediunidade na umbanda e médium de terreiro durante a pandemia de covid-19*, que agora dá origem a esta obra que lhe apresento.

Fui movido por uma consciência muito forte para mostrar que, um dia, aqueles que se entristeceram comigo teriam a prova de que podemos errar, mas que a umbanda está acima de nossos erros, que a espiritualidade está além deles, e que os guias nutrem profundo amor por nós. Eles nos permitem sentir e vivenciar esse amor para que espalhemos um pouco dele por onde formos.

É com esse amor e imenso sentimento de gratidão que te entrego este que é mais do que um livro, é um capítulo da minha história.

Saravá Fraterno a todos os médiuns de terreiro que exercem suas missões na umbanda!

Axé,

Rodrigo Queiroz

Referências

BARRETT, Francis. *Magus*. São Paulo: Mercuryo, 1994.

BRENNAN, Barbara Ann. *Mãos de luz*: um guia para a cura através do campo de energia humana. São Paulo: Pensamento, 2009.

CUMINO, Alexandre. *Médium*: incorporação não é possessão. São Paulo: Madras, 2015.

CUMINO, Alexandre; QUEIROZ, Rodrigo. *Caridade*: amor e perversão. São Paulo: Madras, 2017.

KARDEC, Allan. *O Livro dos Espíritos*. Araras: IDE Editora, 2019.

_____. *O Livro dos Médiuns*. Brasília: FEB, 2013.

LÉVI, Éliphas. *Dogma e ritual de Alta Magia*. São Paulo: Madras, 2017.

QUEIROZ, Rodrigo. *A redenção*: ascenção, queda e redenção do espírito humano. São Paulo: Madras, 2000.

RAMATÍS (Espírito). *Mediunismo*. Psicografado por Hercílio Maes. Limeira: Editora do Conhecimento, 2001.

SITES

www.umbandalogia.com.br

www.umbandaead.com.br

www.umbandaead.blog.br

Livros para mudar o mundo. O seu mundo.

Para conhecer os nossos próximos lançamentos
e títulos disponíveis, acesse:

🌐 www.**citadel**.com.br

f /**citadeleditora**

📷 @**citadeleditora**

🐦 @**citadeleditora**

▶ Citadel – Grupo Editorial

Para mais informações ou dúvidas sobre a obra,
entre em contato conosco por e-mail:.

✉ contato@**citadel**.com.br